TODO sobre EL café

TODO sobre EL café

Mare Terra Coffee Foundation

integral

índice

Quiénes **SOMOS** Y QUÉ te presentamos

¿Quieres conocer el apasionante camino que recorre el sencillo grano de café desde la semilla hasta nuestra taza? Cada grano tiene su propia historia que contar, y en este libro te animamos a descubrirla y a disfrutar de ella.

Los consumidores de hoy en día nos interesamos cada vez más por saber de dónde vienen los productos que consumimos, cómo han sido producidos y el viaje que han hecho hasta llegar a nuestras manos, o a nuestro paladar, en este caso.

El mundo del café está cambiando. En los últimos años, ha mejorado mucho su calidad y empieza a ser una bebida cada vez más apreciada. Cuando un consumidor entra en una cafetería de especialidad y el barista le ofrece un café diferente al que está acostumbrado, se le despiertan nuevas sensaciones y un deseo infinito por conocer cómo ha sido preparado o tostado, o cuál es su origen.

En Mare Terra Coffee Foundation nos dedicamos a difundir el conocimiento del café de calidad mediante la formación de toda la cadena cafetera. Nuestro objetivo es ofrecer el mayor valor agregado posible, incidiendo en la profesionalización del sector y formando a todos los actores: desde el productor hasta el barista. Disponemos de un centro de formación reconocido por la Specialty Coffee Association como centro internacional de referencia.

Llevamos años trabajando incesablemente para la difusión de la cultura del café de calidad. Asimismo, somos activos dinamizadores del negocio del café, apostando por la comercialización de los mejores granos. En definitiva, generamos cultura cafetera.

Este libro surge de la necesidad de promover una educación y un mayor conocimiento sobre el mundo café, transmitiendo criterios sólidos para que el consumidor final sepa valorar el producto que tiene en sus manos.

Un libro pensado para los amantes del café en el que, empleando un lenguaje sencillo y ameno, también se pretende rendir homenaje a todas aquellas manos que, con su esfuerzo anónimo, participan en este largo camino.

Nuestra pasión por el café hace que recorramos los países productores, desde Etiopía o Kenia hasta Brasil y otros países de América Latina, con el objetivo de descubrir orígenes con perfiles únicos y potenciarlos, sin dejar de aprender y mejorar para transmitir nuestro entusiasmo por esta bebida.

La Fundación, que carece de ánimo de lucro, seguirá persiguiendo fines de interés general, concretando actuaciones que apuestan por el bienestar social de los países productores. Apoyamos la formación y el fomento de estudios que permiten descubrir nuevas posibilidades económicas para la comunidad, y también colaboramos con otras instituciones, aunando esfuerzos para conseguir unos mejores resultados.

Te deseamos una grata lectura y que disfrutes de las fotos con la ilusión de que, una vez terminado el libro, te hayas podido replantear y mejorar la visión que tienes sobre el mundo del café.

la BEBIDA más consumida DEL MUNDO

El café se está posicionando como la bebida estrella. En todo el mundo se consumen casi 10.000 millones de kilos de café al año, y este consumo no para de crecer. Recientemente ha ganado terreno incluso en países donde el té está más arraigado, convirtiéndose en la bebida universal por excelencia.

el CAFÉ COMO tendencia

El café se puede beber de muchas maneras, según el gusto de cada uno. También son muy variadas las formas de consumirlo, según las regiones y las costumbres de cada país. En cualquiera de los casos, se trata de una bebida que está en auge.

Hoy en día, el café es una de las bebidas que más se consumen en el mundo. Nos podemos tomar una taza de café en cualquier país, desde Italia o Estados Unidos hasta Etiopía, y de inmediato nos damos cuenta de que la manera de prepararlo y servirlo difiere enormemente de un lugar a otro. Aun partiendo del mismo producto, la explosión de sabores en cada bebida es variopinta e infinita.

En sus orígenes, el café era un producto de lujo. Su consumo estaba solamente al alcance de las clases altas, hasta la creación de empresas que empezaron a comercializarlo y envasarlo de forma más industrial para llegar a toda la población.

Actualmente, las cifras de producción y exportación han experimentado un gran aumento. Sin duda, se erige como una de las bebidas más populares y extendidas en el mundo. Según datos de la Oficina Europea de Estadística, más conocida como Eurostat, en 2017 la Unión Europea importó casi 3 millones de toneladas de café, un 5 % más que en la última década. Se estima que más de un 80 % de los españoles de más de 15 años consumen al menos una taza de café al día, y que más del 90 % del consumo lo hacemos dentro del hogar, aunque también está aumentando cada vez más fuera del ámbito doméstico.

El momento más elegido para tomar un café es por la mañana, y el segundo momento más popular es después de comer. En cualquier caso, el café desempeña un papel clave dentro de nuestra cultura, ya que ha arraigado con fuerza en nuestras rutinas y hábitos cotidianos.

Nos gusta reunirnos alrededor de una taza de café con amigos y familiares, y también bebemos café en reuniones de trabajo. Su sabor y el efecto de la cafeína nos ayudan a activarnos por la mañana, siendo lo primero que consumimos para empezar el día. Además, nos ayuda a permanecer más concentrados en las actividades que requieren mayor atención.

¿Cómo es el café que consumimos?

El mercado del café ha ido cambiando en los últimos años. En la actualidad, podemos decir que se encuentra en un buen momento. La llegada de nuevos consumidores, especialmente los más jóvenes, y el avance del consumo fuera del hogar están revitalizando un mercado que hasta hace poco parecía estancado.

Año tras año, se consolida su crecimiento, tanto en cantidad como en calidad, aunque la apuesta por la calidad del café es un proceso lento. Pese a que hay países que cuentan con una gran tradición de consumo y elaboración del café, como Colombia y Brasil, en general tenemos una cultura muy pobre al respecto. Es cierto que cada vez más nos vamos interesando por el producto que tenemos en taza; sin embargo, debemos decir que seguimos tomando un café de baja calidad. Es el caso de España, por ejemplo, sobre todo si nos comparamos con nuestros vecinos europeos.

El interés por el consumo de café de calidad es un hecho bastante reciente. Poco a poco, se está introduciendo la cultura del café para poder apreciar lo que es realmente un buen café, pero todavía nos falta mucha formación e información. Tenemos por delante un largo camino que recorrer.

¿A qué nos referimos cuando hablamos de *mala calidad*? A menudo, los granos de café que consumimos pueden estar deteriorados; vienen con defectos que no han sido eliminados durante los procesos de recolección o procesamiento, y podrían contener daños de insectos, hongos o fermentos, o incluso minerales pesados.

En un café de mala calidad, podríamos decir también que se cometen una serie de errores en el proceso del tueste y del preparado, y se le da un tratamiento al producto que no merece. Esto hace que el café acabe teniendo un sabor amargo.

El giro hacia un café de calidad es cada vez más evidente en diferentes países del mundo.

La mala costumbre del café torrefacto

Mención aparte merece el café torrefacto. Hoy en día, el café torrefacto solo se comercializa en algunos países del mundo; concretamente, España y Portugal, en el continente europeo, y Argentina, Paraguay o Costa Rica, en Latinoamérica. En el resto de países ya no está permitida la distribución de este tipo de café. Sus orígenes se remontan al siglo XVII, cuando se creía, erróneamente, que el torrefacto conseguía mantener las propiedades del café natural durante más tiempo.

El torrefacto es el café que se obtiene cuando se añade azúcar a los granos de café durante el tostado. A lo largo de este proceso, se alcanzan temperaturas elevadas, el azúcar se carameliza, envuelve el grano de café y crea una película de tonalidad muy oscura y brillante que le da el color negro característico del café torrefacto.

Así, se obtiene una bebida oscura y de sabor muy amargo, con la falsa creencia de que este es un café más intenso y consistente, cuando en realidad es el efecto del azúcar quemado el que enmascara los verdaderos aromas y sabores del café.

Los cafés torrefactos se suelen elaborar con una variedad robusta, de peor calidad y poco digestiva, por lo que se obtiene un café denso y con un final amargo. Además, tiene el doble de cafeína que el café arábica, que es más aromático, suave al paladar y digestivo.

Por otro lado, numerosos estudios relacionan el consumo de café torrefacto con problemas relacionados con la salud, ya que la alta concentración de azúcar y el *quemado* no son gratuitos, desaconsejándolo especialmente en el caso de personas diabéticas, por las elevadas cantidades

de azúcar que se añaden durante el proceso de tostado del café, y por el hecho de incorporar más azúcar todavía en la taza para enmascarar el sabor amargo.

Se estima que es a principios del siglo XX cuando se empieza a comercializar este tipo de café. Por aquel entonces, la industria cafetera tenía verdaderas dificultades para conservar el café después del tueste. Hay que tener presente que el café se oxida muy rápido, y en aquellos años las condiciones de conservación y almacenamiento no eran las más adecuadas.

Para evitar que se oxidara rápidamente, lo que se hacía era añadir azúcar a los granos de café durante el proceso de tostado. Las altas temperaturas consiguen que el café caramelice, y así lo protegían de la humedad y lo podían mantener en buen estado durante más tiempo.

En España, durante los años de posguerra, el café torrefacto vivió una época de auge, cuando el café era un bien escaso. Como el café tenía un precio elevado, se utilizaban mezclas con azúcar, así necesitaban menos cantidad de café en grano, obtenían más tazas y conseguían abaratar el precio. Desde entonces, su consumo ha quedado fuertemente asentado en España. Aunque es un café de bajísima calidad, es un producto de uso muy habitual en nuestro país.

Cierto es que hoy en día el café torrefacto está perdiendo terreno, pero todavía el 40 % del café consumido en España sigue siendo de mezcla, sobre todo en el ámbito doméstico. La mezcla es, simplemente, la combinación de los granos de tueste natural con el café torrefacto, en proporciones variables. Cada marca distribuidora ofrecerá un determinado porcentaje de torrefacto en la mezcla. Con este tipo

Siempre es mejor apostar por un café de tueste natural. Al no contener ningún añadido, posee intactas todas sus cualidades sensoriales y organolépticas, y es más saludable.

Existe una amplia variedad de sabores y sensaciones dentro de una buena taza de café, pero deberíamos apostar por el café arábica de calidad con tueste 100 % natural, lo que significa que los granos han sido tostados solo mediante calor.

Los cafés ocultan una gran variedad de matices, tanto en aroma como en sabor. Pero lo que no deberíamos encontrar en un buen café son sabores amargos, sino dulces o florales, e incluso cítricos. El sabor siempre tiene que ser a nuestro gusto, pero con atributos agradables que nos inviten a repetir.

Si queremos hacer una buena descripción de un determinado tipo de café, debemos realizar un *perfil sensorial*. Se trata de describir e interpretar las características del café que nos tomamos, a través de los sentidos. Conocer y saber distinguir las virtudes y los defectos de un café es básico para poder discernir si se trata de un café de calidad o no.

En la evaluación del perfil sensorial se evalúan todos aquellos atributos y descriptores que tiene un café, y que se conocen como *notas de cata*: aroma, sabor, cuerpo, limpieza o acidez, entre otros.

Un café *convencional* tendrá pocos descriptores, mientras que un buen café de calidad tendrá muchos más descriptores, más agradables y de más calidad. Un café convencional podría tener atributos de cacao, madera o toques amargos. Los des-

de tueste obtenemos una bebida más oscura y de sabor muy amargo, un café más fuerte que, popularmente, se percibe como más «cafetero», aunque en boca deja un sabor intenso sin aromas ni matices, y a menudo lo que hacemos es rebajarlo con azúcar o leche, en vez de decantarnos por un tipo de café más suave y de mayor calidad.

¿Cómo debería ser un buen café?

Siempre es mejor apostar por un café de tueste natural. Al no contener ningún añadido, posee intactas todas sus cualidades sensoriales y organolépticas. Es más saludable y aporta más beneficios y propiedades nutricionales.

criptores de estos tipos de café suelen estar asociados a características *más sucias*; por ejemplo, en el caso del cacao, se incluye una sensación de polvo.

Un café *básico* (en términos de calidad) tendrá características como: cacao, chocolate negro, caramelo o frutos secos, manteniendo una tendencia dulce, sin atributos que destaquen, pero conservando una armonía en conjunto.

Un *buen café* suele tener descriptores mucho más agradables, como cítricos, frutas de hueso (ciruela o melocotón), frutos amarillos (albaricoque) o incluso tropicales; también florales, o a caramelo, vainilla o chocolate. Cuanto mayor sea la calidad del café, más definidos estarán los descriptores y más sencillo será percibirlos. En estos casos, podríamos incluso indicar el tipo de cítrico: limón, naranja, mandarina o pomelo; de ahí que valoremos tanto la limpieza en taza, ya que cuanto más limpio está, mejor definido es el aroma o gusto y más fácil es de percibir.

El café de la *tercera ola*

Los consumidores de hoy en día nos interesamos cada vez más por saber de dónde proviene el café que consumimos y cómo se produce, y no es solo por razones de salud y seguridad, sino también por curiosidad. Nos gusta conocer aspectos que hasta hace poco nos pasaban desapercibidos, como la historia del café, su origen, el recorrido que hace desde la recolección hasta que nos servimos el café en casa, etc.

Desde hace unos años, está aumentando el consumo de los llamados *cafés de especialidad*, que se distinguen por su sabor y su aroma, y por la ausencia de defectos, dándole al café el valor que se merece.

Cuando probamos una taza de buen café, es decir, un producto diferente con nuevas características sensoriales que hasta ahora nos eran desconocidas, se nos despiertan nuevas sensaciones, y nos damos cuenta de lo diferente que es esta

buena taza de café de la bebida que estamos acostumbrados a beber.

Es lo que se viene considerando como la *tercera ola* en el sector del café. Los nuevos consumidores de café de especialidad valoran el origen y la materia prima del producto, y también el cuidado de cada una de las etapas que recorre, desde el manipulado en la planta hasta la taza.

Pero para entender qué es esto de la tercera ola es necesario mirar al pasado y fijarnos en cómo eran las anteriores etapas del consumo del café. ¿Cuáles son las *olas históricas* del café y a qué momentos se refieren?

El consumidor de la *tercera ola* se preocupa mucho por la calidad, la manera de servir el café y hasta el ambiente del local: diseño, mobiliario, iluminación... Tomar un café se convierte en una experiencia integral de los sentidos.

La **primera ola** se refiere a la época después de la Segunda Guerra Mundial, un momento de consumo masivo y accesible a todo el mundo. El consumo del café se populariza, y la gente lo empieza a tomar incluso en su propia casa, gracias a la aparición de las máquinas domésticas de hacer café.

La **segunda ola** empieza con los primeros síntomas de preocupación por la calidad del producto. Durante los años 70, grandes empresas cafeteras se lanzan a promover el consumo de un café de calidad. Aparecen cafeterías donde se cuida y se valora más la experiencia de tomar un buen café. Los llamados *coffee shop* entran en escena.

Es con la llegada del nuevo siglo cuando se empieza a hablar de la **tercera ola**, un término que define la importancia de disfrutar de un café de calidad. El consumidor aprecia tanto el servicio al cliente como toda la historia que hay detrás de una taza de café.

Incluso ya hay quien está hablando de una **cuarta ola**, aunque existe cierta controversia, puesto que todavía estamos inmersos en la tercera. Sin embargo, se tiende a pensar que en esta nueva ola se dará un paso más allá, incidiendo más en los aspectos científicos del café y profundizando en los conocimientos sobre el suelo, las plantaciones, los granos...

BENEFICIOS
DEL café PARA LA salud

El café es un producto de origen vegetal que presenta unos componentes muy similares a los que encontramos en frutas y verduras. De hecho, el café es una fruta y debemos considerarlo como tal. Sus propiedades estimulantes también pueden tener efectos beneficiosos para nuestra salud.

No es de extrañar que, siendo el café una de las bebidas más consumidas en el mundo, sea uno de los alimentos sobre los que más investigaciones se han efectuado en materia de salud.

En general, las investigaciones científicas que se han venido realizando a lo largo de los años demuestran que su consumo moderado, de 3 a 4 tazas al día, y dentro de una dieta sana y equilibrada, resulta beneficioso para la salud.

El principio activo más presente y más conocido en el café es la cafeína. A la cafeína se le han venido atribuyendo numerosas propiedades, la más conocida es la estimulación del sistema nervioso, ya que aumenta nuestro estado de alerta y concentración; asimismo, posee efectos estimulantes en el tejido muscular (del músculo liso y cardíaco). Pero, al margen de las propiedades estimulantes más popularmente conocidas, se ha comprobado que el café puede tener otros efectos, como la capacidad para inhibir ciertas enzimas y modular el metabolismo. Los efectos derivados de su consumo no solo son producidos por la cafeína; otros componentes, como los fenólicos, el ácido clorogénico y las melanoidinas, tienen efectos antioxidantes y antiinflamatorios para el organismo. En definitiva, además de la cafeína, el café contiene muchas otras sustancias del tipo minerales (por ser de origen vegetal), antioxidantes y fibra, que lo convierten en un alimento biológicamente activo con amplios beneficios para la salud.

Ya sea por la cafeína o por el resto de sustancias presentes en el café, su consumo se ha rela-

cionado con una probable disminución del riesgo de padecer algunas patologías, entre las que podríamos destacar la diabetes tipo 2, las enfermedades cardiovasculares, el alzhéimer y algunos tipos de cáncer.

Acción preventiva

Estudios publicados en los últimos años (en las revistas *Nature Communications* y *Circulation,* entre otras) avalan una relación inversa entre el consumo de café y el riesgo de desarrollar diabetes tipo 2. También demuestran que puede prevenir la aparición de enfermedades cardiovasculares, gracias a sus propiedades antioxidantes, concretamente del ácido clorogénico, que disminuye la resistencia a la insulina, y los ácidos fenílico y cafeico. Así pues, puede decirse que la mayoría de los estudios observacionales consultados reflejan que el café podría ser un aliado en la protección frente al riesgo de enfermedad cardiovascular.

Por otro lado, algunos estudios epidemiológicos han sugerido que la cafeína podría ser un agente terapéutico eficaz contra el alzhéimer. Estos estudios ponen en evidencia que el café podría ejercer acciones beneficiosas para proteger y/o revertir el deterioro cognitivo. Sin embargo, los resultados son aún contradictorios con investigaciones anteriores, por lo que es necesaria una cierta prudencia hasta que nuevas investigaciones otorguen mayor rigor científico a estos hallazgos.

En tercer lugar, se está estudiando también si el café podría actuar como factor protector frente al desarrollo de ciertos tipos de cáncer, como el de hígado y riñón, y también, en menor medida, el de colon y mama, gracias a su contenido en sustancias antioxidantes.

Otro estudio de la Universidad British Columbia de Canadá y la Escuela de Medicina de Harvard en Boston relacionan el consumo del café con un menor riesgo de padecer gota.

Cabe mencionar también un estudio del Instituto de Salud Pública de Helsinki, el país donde se consume más café del mundo, que demuestra que reduce la incidencia de cardiopatías, ya que el café representa una fuente importante de antioxidantes, similar al de la fruta y las verduras. Quizás por eso también se le reconocen propiedades laxantes, evitando el estreñimiento, a la vez que también parece ser un buen diurético.

Finalmente, cabe destacar que la cafeína potencia el efecto de los analgésicos, especialmente los que actúan contra el dolor de cabeza. Por este motivo, algunos fabricantes farmacéuticos incluyan pequeñas dosis de cafeína en sus pastillas.

No obstante, la influencia del café sobre la salud no solo depende de su consumo moderado. Su repercusión final sobre el organismo depende-

El café puede prevenir
algunas enfermedades,
mejorar ciertos aspectos
de la función cerebral
y ayudar a quemar grasas.

rá de cómo metabolice cada persona la cafeína y sus otros componentes, así como de la influencia de factores genéticos, sociales o ambientales.

Asimismo, aspectos como la variedad, el origen o el tipo de elaboración del propio café (filtrado, prensado, expreso, etc.) o el tipo de tueste (natural o torrefacto), y, sobre todo, la calidad del producto, pueden alterar su composición final, influyendo de una manera u otra en cómo incide en el organismo.

EL origen DEL CAFÉ

Numerosas leyendas sitúan el origen del café en algún punto entre Etiopía y Yemen. Se cree que, ya desde la Antigüedad, algunas tribus africanas consumían su fruto a modo de masa aplastada y masticada.

¿CÓMO SE descubrió?

Como todos los grandes inventos y descubrimientos de la historia, el azar tuvo mucho que ver en el descubrimiento de la bebida más extendida y consumida del mundo. Desde entonces, a lo largo de los siglos, su popularidad ha ido aumentando día tras día.

Aunque no tenemos documentos fidedignos de la vida del café desde sus orígenes, sí existen muchísimas leyendas que nos permiten seguir su rastro y nos dan a conocer que no fue hasta el siglo XVI cuando se generalizó su consumo. Fue en Arabia donde se empezaron a moler y a tostar los granos de café de una forma muy parecida a como lo hacemos hoy en día.

A partir de aquel momento, la expansión del café no ha parado de crecer. A lo largo de la Edad Media, las plantaciones de café se extienden a diversos países, sobre todo hacia el continente asiático, y se empieza a introducir su consumo en Europa.

No es hasta la Edad Moderna, con el descubrimiento del nuevo continente, cuando se introduce el café en América. Unas buenas condiciones climáticas y orográficas del terreno favorecen que, en poco tiempo, proliferen plantaciones de café en diferentes países, hasta convertir al continente americano en el mayor productor y exportador de café del mundo en la actualidad.

Las cabras de Kaldi

Como muchos de los mejores descubrimientos de la historia, parece que la bebida del café también tiene un origen fortuito. Aunque no se trate de un acontecimiento fielmente documentado y, en consecuencia, no pueda ser comprobado, varios historiadores del café aceptan la leyenda de las cabras de Kaldi como una explicación muy posible del nacimiento del café.

La leyenda cuenta que, aproximadamente en el año 600, un pastor llamado Kaldi descubrió por casualidad los efectos del café en Kaffa, una de las regiones más fértiles de Abisinia (lo que hoy en día conocemos como Etiopía).

Kaldi salió a pasear con sus cabras por una zona de frondosa vegetación y, como de costumbre, las dejó que se internaran en el bosque y pacieran a su antojo. Las cabras comieron los frutos rojos de un arbusto que abundaba por la zona. De repente, algo fuera de lo habitual le llamó la atención. Observó que los animales se comportaban de manera extraña y estaban un poco más excitados de lo habitual: saltaban y corrían de un lado para otro, de forma muy enérgica.

El pastor recolectó algunos de estos frutos rojos y llevó un puñado de ellos a un monasterio cercano para que los probaran los monjes. Prepararon una infusión y todos juntos compartieron la bebida. Uno de los monjes, al probar el líquido resultante de hervir los frutos, lo encontró amargo, y, en un impulso por deshacerse de algo tan horrible, tiró los frutos al fuego.

Al tostarse en el fuego, un agradable olor empezó a inundar el lugar en el que se encontraban. Ese aroma tan seductor cautivó a todos los hombres allí reunidos. Las bayas, antes rojas, se volvieron de color marrón oscuro muy intenso. Kaldi recuperó los granos tostados para hacer de nuevo una infusión, Esta vez sí tuvieron un sabor intenso y delicioso.

Fue entonces cuando descubrieron el maravilloso sabor de uno de los productos más carismáticos del mundo. Desde aquellos días, los monjes adoptaron el café como una bebida estimulante habitual para mantenerse despiertos durante sus noches dedicadas a diálogos divinos. En poco tiempo, su consumo se extendió por el mundo árabe.

Consumo y expansión del café en el mundo a lo largo de la historia

Año 900	Año 1300	Año 1554	Año 1615	Año 1645	Año 1700	Año 1727
Se introduce el café en Arabia. Esclavos de Sudán llevan cerezas del café de Etiopía a Arabia.	Los árabes tienen el monopolio del café. Tenían prohibido exportar granos de café verde y sin tostar.	Aparece la primera cafetería en Constantinopla (Turquía). El consumo de café ya es público.	Comerciantes venecianos muestran una nueva bebida a Europa. La llaman *vino árabe*.	Se abren las primeras cafeterías en Europa: Venecia (1645), Oxford (1650) y Londres (1652).	Desde las colonias de las Indias Orientales, Holanda se convierte en el primer abastecedor de café de Europa.	Primera plantación de café en Brasil con plantas que provenían de la Guayana Neerlandesa.

Año 1800	**Año** 1810	**Año** 1880	**Año** 1884	**Año** 1903	**Año** 1914	**Año** 1939
Aparecen las primeras cafeteras domésticas y fábricas de molinillos de café en Europa.	Se inventa el envasado al vacío y se populariza la venta del café molido para consumo doméstico.	América Latina se convierte en el primer productor y exportador de café del mundo.	Se inventa la primera máquina expreso presentada en la Exposición General de Turín.	Se crea el café sin cafeína por primera vez en Estados Unidos.	Durante la Primera Guerra Mundial, el café se convierte en un alimento de primera necesidad.	Durante la Segunda Guerra Mundial, Estados Unidos introduce el café soluble.

La planta del café y sus especies

Cultivar café no es fácil, ya que solo crece entre los trópicos de Cáncer y Capricornio, una franja conocida como *el cinturón del café*, en altitudes entre 200 y 2.000 metros.

Para que una semilla madure y dé lugar a una planta que pueda dar frutos hacen falta entre 3 y 5 años. La planta tiene forma de cono, con ramas muy flexibles y hojas gruesas, brillantes y siempre verdes que llegan a alcanzar los 20 centímetros de largo, aproximadamente.

La altura de la planta adulta es de unos 8-12 metros, pero para conseguir una mayor productividad y para facilitar la cosecha las plantas se mantienen a una altura de 2-3 metros. Tienen un periodo muy corto de floración (unos 3 días), durante el cual los grupos de flores blancas brotan despidiendo un gran perfume, como el del jazmín. La floración se produce después de las lluvias. Si las lluvias son discontinuas, puede ser que las cerezas no maduren al mismo ritmo. Las cerezas son los frutos que da la planta, y son verdes

La planta del café es un arbusto que pertenece a la familia de las rubiáceas. Proviene del género *Coffea*, que cuenta con 80 especies, de las cuales dos son las más conocidas y con interés comercial: arábica y robusta. El primero en identificarlas fue el botánico sueco Linneo, en el año 1753.

hasta que llegan a su estado de madurez, al cabo de entre 6 y 12 meses. Cuando están maduras, adoptan un color anaranjado, amarillo y diferentes tipos de rojo.

Una cereza contiene dos granos que están cubiertos por una membrana babosa, que a su vez está recubierta por la piel colorada de la cereza. El tamaño de los granos varía entre las 80 especies de plantas que existen, e incluso también varía entre las variedades de cada especie.

Podemos encontrar cerezas rojas y verdes en una misma rama. Esto se debe a que los frutos no maduran a la misma velocidad.

Pergamino

Piel de plata

Pulpa

Grano de café

Piel exterior

El grano de café (endosperma) es, en realidad, la semilla de la planta. Compone el tejido nutricional y es la parte que luego se tuesta y se consume.

La *piel de plata* o tegumento es una película muy fina que envuelve el grano.

El pergamino (endocarpio) es una especie de membrana dura que envuelve las semillas; también se le llama cáscara.

La pulpa (mesocarpio) es una capa gelatinosa rica en mucílago, una sustancia viscosa que envuelve el endocarpio.

La piel exterior (epicarpio) es la parte que suele proteger al resto del fruto del exterior. Suele ser de color rojo a amarillo en su madurez.

En general, una planta de café tiene una vida útil de quince años. No obstante, se requiere paciencia, porque un cafeto, pese a tener cerezas ya el primer año, no empieza a ser productivo hasta que no alcanza, al menos, los tres años, aunque a veces hay que esperar incluso cinco. Cada planta puede producir unos 900 gramos de grano verde al año.

Las dos especies más cultivadas de cafeto son la arábica y la robusta. Conocer las diferencias que hay entre estos dos tipos de granos es interesante, para poder apreciar las diferencias en sus características y, al final, también en sabor y olor.

Café arábica

El origen de esta especie de café se sitúa en las altas planicies de Etiopía, aunque hoy en día puede crecer en muchos otros países con altitudes entre los 900 y los 2.000 m. El ambiente óptimo para que crezca esta especie es de 15 a 24 °C, en un clima tropical, que es templado debido a la altitud.

El grano se identifica por ser más alargado que en la especie robusta y representa el 60 % de la producción mundial de café. La cafeína es de 1,1 % a 1,7 %. Las características sensoriales de los cafés de la especie arábica, en términos generales, son: alta acidez; sabores delicados, florales y afrutados, y con un cuerpo denso y suave.

Las principales zonas de cultivo de esta especie son América Central y América del Sur.

Café robusta

El origen de esta especie de café se sitúa en África tropical (Congo). Es mucho más resistente que la especie arábica y la solemos encontrar en altitudes entre 200 y 900 metros, en un ambiente de 24 a 29 °C. El grano tiene una forma redonda y es de color castaño. Posee un porcentaje de cafeína entre 1,7 y 3,5 %.

La producción mundial de café robusta representa un 40% de la producción mundial. Sus características sensoriales son sabores amargos, redondos, terrosos, frutos secos y especiados. Normalmente, se utiliza en mezclas con café arábica.

Las principales zonas de cultivo de esta especie son África occidental y central, el sudeste de Asia y algunas partes de América del Sur, incluyendo Brasil.

El café arábica tiene la mitad de cafeína que el café robusta. Esto hace que el café robusta sea un café más amargo y el arábica sea la variedad con más cuota de mercado.

Países productores
y países consumidores

Los países productores de café se encuentran en la zona conocida como *cinturón del café*, que abarca los países entre los trópicos de Cáncer y Capricornio. El café se cultiva en, aproximadamente, 80 países del mundo. Como curiosidad, cabe destacar que en Europa podemos encontrar cultivos de café en las Islas Canarias y en las Azores.

Brasil no solo es el primer productor, sino también el primer exportador de café del mundo.

Según la International Coffee Organization (ICO), los mayores productores de café del mundo son Brasil, Vietnam y Colombia. Vietnam ha ganado posiciones, pasando por delante de Colombia, gracias a la gran cantidad de café robusta que produce. Otros productores importantes de café son Kenia, Etiopía, Nicaragua, Guatemala, Indonesia e India.

Hay que destacar, por ejemplo, el mérito de Honduras. Con una extensión de 112.000 km^2 se sitúa en la séptima posición, muy por delante de países como la India, cuya superficie de cultivo es 30 veces mayor de la que dispone Honduras.

Entre los 20 principales productores de café, cabe destacar El Salvador, el país más pequeño de la lista que se sitúa por delante de Ecuador o Camerún.

Es interesante saber, también, que los cafés cultivados en diferentes países o regiones desarrollan diferentes sabores y aromas debido a la variedad de clima, tipo de terreno, altitud y especies de cultivo.

Por ejemplo, los cafés africanos tienen un gran número de variedades autóctonas y muchas crecen de manera silvestre. En general, son cafés más florales y cítricos, con sabores dulces, afrutados y aromas intensos, aunque es un error categorizar un perfil según un origen o una zona determinada, porque el resultado depende, en gran medida,

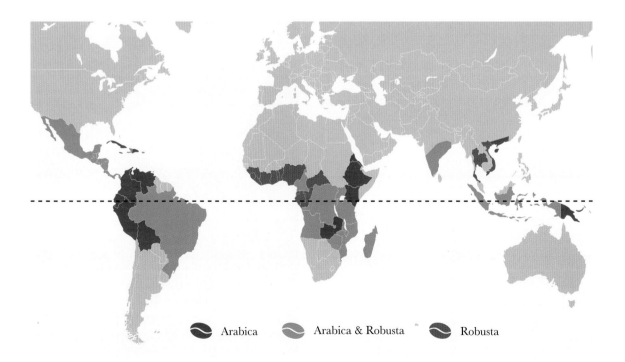

Arabica   Arabica & Robusta   Robusta

de la práctica agrícola empleada o de la calidad de conservación de la tierra. Un mismo café puede adquirir unas características u otras incluso dentro de un mismo país, y el abanico de sabores puede ser muy amplio.

El mayor consumidor de café del mundo es Finlandia. En este país nórdico, se llegan a consumir hasta 12 kg de café al año por persona.

Otros países nórdicos, como Noruega, Suecia y Dinamarca son, con diferencia, zonas donde el consumo de café es también muy elevado, con una media de tres tazas de café al día. En estos países, además, destaca la calidad del producto, siendo el tipo de café más consumido el café filtrado.

Llama la atención que países considerados históricamente muy cafeteros, como por ejemplo Italia, inventores del expreso y con gran cantidad de preparaciones con el café como protagonista,

Los mayores consumidores de café son países europeos. De hecho, lo son 20 de los 25 primeros del *ranking*, con Finlandia a la cabeza.

no destaque entre los países más consumidores del mundo.

Entonces, si somos países consumidores pero no productores, ¿de dónde viene el café que consumimos? El café que hemos importado en Europa durante el último año proviene, principalmente, de Brasil (840.268 toneladas) y Vietnam (771,698), seguido de Honduras (210.883).

EL cultivo DEL CAFÉ

El café es la bebida que se obtiene a partir de los granos tostados y molidos del fruto del cafeto o planta del café. Cada país y cada tipo de tierra dotan al café de unas propiedades que lo definen en gusto y aroma.

TIPOS DE café SEGÚN SU cultivo Y procesado

Hay diferentes métodos para procesar el café después de la recolección. Todo dependerá de las características que se le quieran aportar, ya que la forma como ha sido procesado influirá finalmente en su perfil de taza.

La variedad en el tipo de procesado puede depender, en muchos casos, de la economía o de las condiciones del agricultor, porque algunos métodos de procesado requieren mayores y más complejas infraestructuras infraestructuras y, por consiguiente, más costes que quizás pequeños agricultores o cooperativas no se puedan permitir.

Pero ¿a qué nos referimos exactamente cuando hablamos de *procesado*? El procesado es el método por el cual se transforma la fruta en lo que conocemos como *café en oro*, es decir, el tratamiento que se le da al fruto cuando se recoge y se seca.

Natural o secado al sol

Este método es uno de los más antiguos. Las cerezas se recolectan y se colocan en patios de secado o en camas africanas, sin dejar de remover los frutos de vez en cuando para conseguir un secado uniforme. Este paso se repite hasta que los granos suenan como una *maraca* dentro de la cereza. El tiempo de secado al sol es de 2 a 3 semanas, dependiendo del clima (aproximadamente, hasta alcanzar entre un 10 % y un 12 % de humedad). Aunque parezca un método simple, no es nada fácil hacer un buen café natural; en muchos países, este es el único método que se lleva a cabo por falta de recursos.

Las características principales de los cafés con procesados naturales son un mayor cuerpo, dulzor y sabor terroso para zonas de poca altura, y afrutado y vinoso para cafés de zonas más altas.

Lavado o húmedo

Este proceso empieza recolectando el fruto maduro. Se pasa por la despulpadora, que retira parte de la pulpa, y se introduce en tanques de fermentación natural donde los frutos pueden pasar varias horas. En este momento, las bacterias transforman la materia orgánica en las acideces más complejas del café. Más tarde, se realiza el lavado manual, donde se elimina la mayor parte de la pulpa restante.

Una vez terminado este proceso, el grano de café pasa por unos canales a la vez que se va decantando por densidad. Se deja secar al sol en camas africanas, en patios o secadoras industriales, entre 1 y 3 semanas, dependiendo del clima o de lo que el productor decida.

Las características principales de los cafés con procesados lavados son cuerpo medio-delicado, dulzor medio y acidez pronunciada.

Semilavado

Se diferencia del proceso anterior en que ahora los tiempos se acortan y se emplean elementos mecánicos.

Este método requiere de la utilización de una determinada maquinaria. El grano pasa por la despulpadora y a continuación por la desmuciladora, para eliminar los restos de la pulpa que puedan haber quedado. La fase de fermentación se elimina. Esto permite un ahorro de recursos (tiempo y agua) y un mayor aumento del control del proceso. Lo siguiente sería su paso por canales para decantar por densidad.

El café se deja secar en patios, en camas africanas o en máquinas de secado. El tiempo del secado en el patio puede oscilar entre unos días o unas semanas, dependiendo del ambiente, el clima y la decisión del propietario. Sin embargo, en las secadoras industriales, el grano puede secarse durante 40 horas a una temperatura de 40 grados, o durante 18 horas a 50 grados.

Las características principales de los cafés que han pasado por este proceso son un cuerpo medio y una acidez pronunciada, pero menos compleja que en el lavado tradicional, ya que no existe la fase de fermentación.

Honey / Mieludo

Una vez recolectado, el café se envía a la despulpadora, donde se separa la cereza del grano, pero en este caso no se despulpa del todo, ya que se deja un porcentaje de pulpa. El secado se realiza con el pergamino (la cáscara que envuelve las semillas); por lo tanto, es un proceso muy lento.

Los cafés *honey* pueden ser: *black honey*, *red honey*, *yellow honey* y *white honey*. Estos nombres son en honor al color que coge el pergamino una vez secado, y al porcentaje de miel que contiene. El *white honey*, por ejemplo, es el que se parece más a un café que ha seguido el método de lavado, y el *black honey* es quizás el más cercano al perfil del natural.

Cafés de especialidad

Esta es una categoría de café utilizada en todo el mundo para designar los mejores cafés, aquellos con una calidad única, de sabor singular y personalidad diferente y superior a las bebidas a las que estamos acostumbrados.

Un café de especialidad requiere un alto nivel de calidad en el cultivo, en la recolección, que debe ser selectiva, en el tueste y en el envasado. Además de todos estos requisitos, las fincas deberían tener responsabilidad social y ambiental, lo que da como resultado un producto de origen sostenible y controlado, y, por supuesto, con un sabor único.

Procesos de preparación experimentales

Tradicionalmente, el café ha sido procesado de cuatro formas: natural, lavado, semilavado y *honey*. Como hemos comentado anteriormente, el objetivo principal consistía en secar el grano, obteniendo una humedad en torno al 10-12 %, y eliminando la pulpa como fuente de posibles defectos que pudieran afectar a las características del café.

Sin embargo, este proceso ha ido cambiando en los últimos años gracias a la demanda de cafés especiales, por lo que una gran cantidad de productores están optando por investigar nuevas técnicas, diversificando procesos, con el objetivo de dotar de

> La experimentación brinda al consumidor la oportunidad de explorar nuevos perfiles y sabores que puede ofrecer el café.

nuevas características sensoriales al café gracias a la fermentación. En este sentido, el uso de nuevas técnicas y la difusión de conocimiento también han contribuido en la creación de perfiles únicos, dando origen a una nueva tendencia, la de la investigación en el terreno de los cafés de especialidad.

Algunos caficultores están experimentando con las fermentaciones, combinando las anaeróbicas (ausencia de oxígeno en el proceso de fermentación) y aeróbicas, mientras que otros están haciendo ensayos con catalizadores para acelerar la fermentación, o descubrir qué microorganismos son beneficiosos y cuáles perjudiciales y cómo controlarlos, todo con el fin de generar un café excepcional. Esto les permite descubrir el tipo de microorganismos que están presentes en las diferentes fases de fermentación, y la concentración de componentes que producen los microorganismos responsables del perfil de sabor. En definitiva, todos estos métodos experimentales permiten estandarizar nuevos métodos de fermentación y perfiles exóticos de sabor.

EL descafeinado

El café descafeinado se
procesa con el objetivo de
reducir la cantidad de cafeína
en la composición del café.
No obstante, el porcentaje
de cafeína nunca llega a
eliminarse por completo,
aunque su contenido máximo
no supera el 0,1 %.

Existen diferentes métodos para descafeinar, según cuál sea la sustancia que se emplea para extraer la cafeína. Entre los más usados, están los que emplean cloruro de metileno, acetato de etileno, dióxido de carbono o agua.

Por lo general, cuando utilizamos disolventes químicos, el proceso de descafeinización se acelera y hace que el proceso sea menos costoso y más rápido. Ahora bien, estos químicos pueden agregar su propio sabor al café o también llegar a dejarlo con un sabor muy reducido.

En cambio, si en el proceso para descafeinar utilizamos solo agua, esto no ocurre. Durante el proceso de extracción, se consigue mantener el sabor y el aroma de los granos de café, respetando más el sabor original del café que si lo hiciéramos con productos químicos.

La descafeinización con agua es el proceso más natural de todos. Aunque parezca que es un proceso rudimentario, en realidad no es fácil, y requiere tener instalaciones adecuadas y de alta tecnología.

En primer lugar, se remojan los granos de café verde en una solución de extracto de café verde libre de cafeína, aunque también se puede realizar el lavado solamente con agua.

El agua hidrata el grano de café verde expandiendo su estructura celular, lo que provoca que se facilite la extracción de la cafeína.

Finalmente, la cafeína, que es soluble en agua, es extraída y capturada mediante un filtro, y mediante un sistema de ósmosis se atrae la cafeína de la concentración de los granos a la otra concentración del disolvente.

Los granos ya descafeinados se secan con aire caliente una vez eliminada la cafeína. En cuanto al agua con la cafeína disuelta, se bombea a través de un filtro que absorbe la cafeína, pero que deja otras sustancias adicionales que son las encargadas de añadir sabor al café. Esta agua queda preparada para utilizarse con nuevos granos; es precisamente el agua mezclada con extracto de café verde con la que se inicia todo el proceso de descafeinización.

La ventaja de este proceso de descafeinización, comparado con el que utiliza productos químicos, es que conserva mejor las cualidades del café y tiene menos efectos nocivos para la salud. En definitiva, se obtiene un café descafeinado de alta calidad.

El descafeinado no está libre de cafeína, cada taza contiene hasta 7 mg, pero al ser una cantidad muy pequeña es una excelente manera de disfrutar de un café sin los efectos secundarios de este compuesto.

ENVASADO Y conservación

Es importante envasar el café correctamente para preservarlo lejos de la humedad y de fuentes de calor. Cuando abrimos un paquete de café y nos sorprende un aroma envolvente, es que vamos bien. En cambio, cuando abrimos un paquete y lo notamos rancio, la cosa cambia. Probablemente, el oxígeno haya entrado en contacto con los aceites del café y los haya alterado.

La manera de transportar los granos de café ya procesados es importante para no dañar el producto y conservar todas sus propiedades.

Para el transporte del café, tradicionalmente se han utilizado sacos de dos tipos de materiales: el yute y el sisal. En ambos casos estamos hablando de fibras extraídas de materiales naturales. Actualmente, y dependiendo del país e incluso de cada exportador, se utilizan otros tipos de materiales que permiten una mejor conservación durante el viaje desde el origen hasta el país de destino. Así, por ejemplo, materiales como el prolipropileno, GrainPro o Videplast permiten construir una atmósfera modificada para que el café conserve la humedad.

Los sacos se colocan en contenedores que, habitualmente, son de metal. Aunque los contenedores suelen ser refrigerados, el café almacenado allí dentro a altas temperaturas y poca ventilación puede *sudar*, es decir, evaporar parte de su humedad. Por eso es importante que el café en grano oro esté bien seco para mantener su calidad durante el tiempo que dure el transporte en estas condiciones.

Conservación del café

Para una correcta conservación del café, es necesario que se mantenga en un ambiente fresco, de unos 15 °C de temperatura, aproximadamente.

El proceso de oxidación va a depender del estado en el que se encuentre el café, es decir, cuanto más transformado esté el café, más rápido será su proceso de oxidación.

Para el café verde, el tiempo de conservación óptimo suele ser de un año, siempre que se mantenga en condiciones idóneas de temperatura y almacenaje. En cambio, para el café tostado en grano, el tiempo de conservación óptimo será de un mes como máximo. Si el café ya ha sido molido, el proceso de oxidación es tan rápido que incluso podríamos decir que su punto óptimo se reduce tras los primeros 15 minutos.

El café tostado debería conservarse en un envase que posea una válvula unidireccional, es decir, que permita salir el dióxido de carbono producido y que no deje entrar oxígeno del exterior.

Respecto a la bebida en sí, para que mantenga intactas todas sus cualidades sensoriales y organolépticas, debería ser consumida inmediatamente después de preparada. En el momento en que la bebida está preparada ya empiezan a perderse los aromas volátiles. Por ello, una tradición tan arraigada como preparar una cafetera italiana para un par de días no sería lo más adecuado, sino que incluso se desaconsejaría.

EL
tueste

El aroma de un buen café recién tostado es uno de los más apreciados y agradables. Los olfatos más entrenados pueden llegar a distinguir el aroma de las variedades arábica y robusta, y percibir toques afrutados, ácidos, achocolatados o florales, entre otros.

TIPOS DE
tueste

El tueste es el proceso mediante el cual preparamos el café verde para su consumo. Con este proceso, convertimos la materia que se encuentra dentro del grano en soluble para poderla infusionar.

Establecer un correcto perfil de tueste del café es esencial, ya que hará que podamos optimizar el sabor del café y potenciar su faceta aromática. La clave para encontrar un correcto perfil es catar, es decir, ir probando el café que se va tostando.

El tueste del café ha ido evolucionando a lo largo de los años. En los siglos XVIII y XIX el café verde era tostado con la ayuda de sartenes perforadas. Ya con la industrialización, los avances tecnológicos permitieron tostar el café en grandes cantidades y de forma más homogénea.

En el tueste, se calienta el grano hasta alcanzar los 100 grados. El calor modifica el café y empieza a dorarse. Durante el tiempo que se va tostando hasta alcanzar los 200 grados, el café desprende unos aromas muy intensos. Además, va cambiando su tonalidad; primero cambia a color amarillo y, finalmente, adopta su color castaño tan característico. A continuación, los granos deben enfriarse inmediatamente.

Si variamos el tiempo de exposición de los granos al calor, influiremos en el resultado final. Según el tiempo de exposición, hablamos de tres tipos de tueste:

Tueste ligero. Normalmente, es el elegido para cafés filtrados, ya que potencia acidez, sabores y aromas; además, es el que conserva los aromas más intensos. Este tueste, al tener una menor cantidad de solubles, exige una mayor preparación del barista para obtener todo el potencial del café.

Tueste medio. Este tipo de tueste, utilizado tanto para cafés filtrados como para cafés preparados en expreso, es el más balanceado y jugoso. Al estar expuesto más tiempo al calor, los azúcares del café tienen un proceso de caramelización mayor, dándole un toque a frutas más maduras, frutos secos, caramelo y chocolate.

Tueste oscuro. Este tipo de tueste suele emplearse en cafés comerciales de calidad moderada a baja, ya que permite enmascarar las características no deseables de estos granos. Tiene una mayor cantidad de solubles y su alargada exposición al calor seca mucho el grano, potenciando gustos más amargos y poco agradables al paladar.

Elegiremos un tipo de tueste u otro dependiendo de las características del café verde que hayamos seleccionado, el proceso que haya seguido y también del método de preparación que utilicemos para preparar la extracción.

Cuanto más se tuesta el grano de café, más se pierden sus sabores originales.

Podemos indicar también que, cuanto más se tueste el café, más disminuye la materia orgánica que contiene. Contrariamente a lo que popularmente se cree, es importante señalar que durante el proceso de tueste no se eliminan ni la cafeína ni todos los minerales presentes en el café. Un tueste oscuro es más amargo y *pesado*, ya que debido a la pérdida de materia orgánica se gana en amargor y se pierde complejidad, pero sigue manteniendo la cafeína y todos sus minerales.

Propiedades del café tostado

Durante el proceso de tueste, se producen una serie de variaciones de las propiedades fisicoquímicas y organolépticas del café tostado respecto del café verde. Entre las variaciones que sufre el grano, destacan:

Pérdida de peso. El grano pierde aproximadamente un 18 % de su peso, aunque siempre va a depender de las características físicas del grano y del estilo del tueste empleado.

Formación de gases. Entre una y dos semanas después del tueste, el grano pasa por un proceso de desgasificación. Es decir, el café emite gases, entre ellos H_2O, CO_2 y gases orgánicos, entre otros. Por ello, es importante que los paquetes donde ha sido envasado el café cuenten con una válvula que ayude a salir estos gases, con el objetivo de obtener una taza más estructurada y balanceada.

Aumento de volumen. Si un grano ha sido tostado correctamente, duplicará su tamaño o aumentará un 75 %. Si, por el contrario, nos encontramos con un grano más pequeño, denso y arrugado, esto indicará que no se ha desarrollado bien químicamente.

Pérdida de densidad. Durante el tueste, el grano pierde densidad, pero aumenta la porosidad y la fragilidad, ayudando a mejorar la extracción de los solubles.

Cambio de color. Según el estilo del tueste empleado, obtendremos colores diversos, desde marrón claro hasta negro. En algunos manuales de tueste se habla de diferentes estilos, dependiendo de la intensidad del color de tueste; por ejemplo, los tuestes *french roast* o *full city*.

Aroma. En el tueste se producen entre 800 y 1.000 partículas volátiles que hacen del café una de las bebidas más complejas del mundo. Es posible encontrar una gran diversidad de partículas, a veces inimaginables de relacionar con el café; por ejemplo, notas vinosas o florales.

Propiedades sensoriales. Durante el tueste se producen cientos de reacciones químicas, como la transformación de azúcares, aceites y proteínas, entre otras. Las proteínas, los azúcares y los aminoácidos actúan cuando la temperatura supera los 40 °C. Estas transformaciones nos aportan aromas y sabores, y obtenemos una sensación en boca más cremosa y redonda.

Las máquinas de tueste

Tradicionalmente, para tostar el café se utilizaban métodos simples, como sartenes y ollas. Estos utensilios permitían tostar el café de forma rápida y sencilla, ya que solo era necesario ir removiendo el café con movimientos circulares por encima de la llama hasta conseguir el café tostado. En realidad, con este método es muy difícil controlar el tueste y, además, requiere una gran cantidad de tiempo.

El sector ha ido evolucionando y hoy día la industria utiliza sofisticadas tostadoras que incluso permiten obtener perfiles de tueste muy precisos, ya que han introducido la tecnología para facilitar el proceso a los maestros tostadores, pudiendo incluso controlar todas las etapas del proceso mediante gráficos en tiempo real. Todo ello permite asegurar una mayor homogeneización en el tostado, e incluso reproducir perfiles y *curvas de tueste*.

Para la transformación del grano, tanto química como físicamente, es necesaria una gran cantidad de energía. Esta proviene, principalmente, de quemadores atmosféricos (gas), resistencias y cámaras eléctricas o quemadores infrarrojos.

La nueva tendencia son los microtostadores, empresas que tuestan y distribuyen café de calidad minuciosamente escogido, y que mantienen una estrecha relación con las fincas de los países de origen.

Los métodos típicos de transformación son la conducción (calor mediante contacto) y convección (calor mediante aire). Las máquinas que usan la energía de contacto suelen presentar un solo tambor, en donde el grano recibe la energía mediante el contacto con la superficie caliente del tambor. Se suele utilizar un sistema de aspas o palas que van girando dentro del tambor, que permanece estático pero por el que va entrando aire caliente. De este modo, los granos se van tostando paulatinamente, recibiendo el calor de manera óptima.

Por el contrario, las máquinas convencionales transfieren la energía a los granos mediante el aire caliente circulante. Mediante la rotación del tambor, la fuerza centrífuga creada hace que los granos se vayan moviendo y el calor se distribuya de manera uniforme.

Es recomendable un tueste en el que las dos energías interactúen. Por lo tanto, las máquinas de conducción creadas con buenos materiales para la absorción del calor y que nos permiten tener un buen control del flujo de aire serán las mejores aliadas para obtener un buen producto.

Las máquinas de tueste pueden variar desde pequeños tostadores de muestras de unos 100 g a enormes máquinas industriales que pueden llegar a tostar a la vez cientos de kilos.

En los últimos años hemos visto abrirse paso a un creciente número de pequeños microtostadores, empresas pequeñas que tuestan el café de manera artesanal. Para ello, la industria cafetera ha desarrollado equipos específicos adaptados a las necesidades de este sector, como pequeñas tostadoras que pueden ir desde 1 kg hasta 15 kg, y que permiten personalizar una gran cantidad de funciones.

la
MOLIENDA

Moler el café es mucho más importante y complejo de lo que puede parecer a simple vista. Cada tipo de cafetera requiere moler el grano tostado a un determinado tamaño, para una correcta extracción.

TÉCNICAS
PARA moler EL CAFÉ

El grado de la molienda va
a influir notablemente en
el resultado final de la taza,
junto con la calidad
y la temperatura del agua
o el tipo de tueste.

A la hora de preparar el café, uno de los aspectos esenciales si queremos obtener una bebida perfecta es llevar a cabo una buena extracción. Por *extracción* entendemos el proceso por el cual, usando agua caliente sobre el café, se extraen todos los aromas y sabores presentes en el grano.

Cuando molemos el café, lo que hacemos realmente es ampliar el área de contacto con la superficie de los granos de café expuestos al agua, con el objetivo de extraer mejor todos sus aromas y sabores. Si el café no estuviera molido, la superficie sería tal que resultaría imposible extraer del café todas sus propiedades. Por ello, cuanto más gruesa o fina sea la molienda, el agua correrá a mayor o menor velocidad a través de ella, y afectará al tiempo de extracción.

Así pues, el tamaño de la molienda juega un papel clave en el proceso de extracción. Es importante indicar que no todos los componentes que se extraen del café son del mismo tipo, ya que los hay que agregan dulzor, por ejemplo, mientras que otros agregan sabores amargos o notas astringentes.

Generalmente, una molienda más fina y un tiempo de extracción más prolongado de lo debido aumentan el sabor amargo y astringente, debido a un incremento sustancial en ácido láctico,

ácido clorogénico y cafeína. Por el contrario, si utilizamos una molienda más gruesa, podemos controlar más el amargor o la astringencia, aunque si es demasiado gruesa tampoco se realizará una correcta extracción.

Por ejemplo, para un café expreso utilizaremos una molienda más fina que en el caso de los cafés filtrados, debido al tiempo de extracción, que es más corto, y también a la presión que el agua ejerce cuando se prepara.

El grosor de la molienda

El grosor de la molienda es uno de los factores que más inciden a la hora de preparar un buen café.

Una molienda más fina significa una mayor área de superficie del grano expuesto al agua. Eso significa que tiene mayor cantidad de partículas, lo cual hará que el agua se desplace de manera más lenta, generando una mayor extracción.

Se habla de *sobreextracción* cuando el agua pasa demasiado lenta a través del café, extrayendo los elementos indeseados y quemando el café. El resultado es una bebida amarga, con aroma y sabor a quemado, debido principalmente a que el punto de molienda ha sido demasiado fino o a un tiempo de extracción demasiado largo. Incluso, también puede ser causado por utilizar agua demasiado caliente.

Por el contrario, una molienda gruesa presenta las partículas más sueltas, lo que permite que el agua se mueva mucho más rápido entre ellas. La combinación de un área de superficie de contacto menor y un tiempo de preparación más corto significa que habrá menos extracción.

Se habla de *subextracción* cuando el paso del agua ha ido demasiado rápido a través del café y, por tanto, los elementos necesarios no han sido extraídos. El resultado es una bebida débil y aguada. Esto suele ocurrir cuando el tamaño de la molienda es demasiado grueso, dando lugar a una bebida débil, delgada y agria.

Es necesario indicar que una misma molienda no es útil para todas las preparaciones ni para todo tipo de café. Así, existen algunos aspectos que es necesario tener en cuenta para determinar el tipo de molienda: el método de preparación, los granos de café y el tipo de tueste.

Cada cafetera requiere un tamaño diferente de molienda que se adapte a cada **método de preparación.**

Para un expreso o moka, se requiere una molienda más fina, porque el tiempo de preparación es muy breve, generalmente unos 20-30 segundos, y se utiliza un sistema de presión.

Para un café filtrado, se requiere de una molienda más gruesa. Al no existir presión y actuar únicamente la fuerza de la gravedad, el agua fluye más lentamente, por ello se debe emplear una superficie mayor de contacto para evitar una sobreextracción. El grado de molienda ideal para el café de filtro es de 600-800 micras.

El segundo aspecto a tener en cuenta es el estado de los **granos de café.** El café es una fruta y, por lo tanto, cuanto más fresca, mejor. Debemos tener presente el tiempo que ha transcurrido desde su recolección y su tueste. Si el café es fresco, se puede aumentar el grosor de la molienda; por el contrario, si el café ya está envejecido, una molienda fina puede ayudar a extraer mejor sus propiedades.

Y, por último, tenemos el **tipo de tueste.** Los tuestes oscuros son más solubles, ya que el grano ha estado expuesto al calor durante un periodo de tiempo más prolongado. Como norma general, podríamos establecer que los tuestes oscuros aceptan una molienda más gruesa, porque la superficie en contacto con el agua será menor y así se evita extraer más sólidos de los necesarios. En cambio, los tuestes suaves requieren una molienda más fina.

El molino de café

La calidad del molino es fundamental a la hora de llevar a cabo una buena molienda y preparar un buen café. Además, no solo es necesario contar con un buen molino, sino que también es necesario hacerle un buen mantenimiento, que el área de trabajo esté limpia y reemplazar las fresas o muelas siempre que sea necesario.

Los molinos pueden ser automáticos o manuales y estar equipados con muelas planas o cónicas.

Con las **muelas planas**, la superficie de molienda es más pequeña y giran a una velocidad más alta. Son adecuados para flujos de trabajos más bajos, ya que si se utilizan para grandes cantidades de café se puede generar calor a través de la fricción y dañaría el grano.

Con las **muelas cónicas**, la superficie de molienda es mucho más grande y el calor por fricción se minimiza.

LA infusión

¿Cuál es el mejor método para preparar un buen café? Existen diferentes maneras de hacerlo, unas más populares y extendidas, y otras que nos pueden resultar más exóticas. Todas ellas son válidas.

TÉCNICAS PARA
infusionar EL CAFÉ

Infusionar significa transferir los componentes de sabor de un medio sólido a un medio líquido. En el caso del café, el máximo de partículas de café tostado que se pueden disolver en agua es un 30%.

Un grano de café solo es soluble en un 30 %, ya que el resto son otros componentes que no son extraíbles, por ejemplo, las fibras. Aun así, la parte con buen sabor se estima que ronda el 22%.

Sin embargo, no todos los componentes aromáticos y de sabor son los mismos, ya que depende también de la técnica para infusionar que se utilice. Algunas agregan más dulzor al café y otras lo hacen más amargo; otras pueden incluso agregar notas frutales, mientras que las hay que hacen que el café sea astringente.

MOKA ITALIANA

Patentada en 1933 por Alfonso Bialetti, esta sencilla técnica es empleada, principalmente, para disfrutar de un buen café en casa. Es una de las formas más tradicionales de preparar café, y muy típica en Europa, sobre todo en países como España o Italia.

Una de las ventajas de este método es que con una sola extracción podemos preparar café para varias personas.

El café obtenido es un café con mucho más cuerpo que el que se obtiene a través de otros métodos (el filtro, por ejemplo), ya que se extrae una mayor cantidad de aceite del café; y también por el tipo de filtro empleado, ya que pueden pasar sólidos que dan esa sensación de cuerpo; los llamados *posos*.

La moka italiana ya ha cumplido 80 años y sigue siendo un referente único por el sabor que le da al café. Una de sus principales ventajas es lo rápido que elabora el café.

La cafetera moka contiene dos compartimentos conectados a través de una especie de tubo; entre los dos compartimentos se encuentra el filtro con el café.

Cuando el agua que está depositada en el compartimiento inferior empieza a calentarse, hace que cambie de estado, pasando de líquido a gaseoso, lo que provoca un aumento considerable de la presión en esta parte de la cafetera. Sin embargo, en la parte superior y a lo largo del tubo que las conecta la presión es más baja. Como consecuencia de las diferentes presiones, el agua es empujada desde la parte inferior hacia la superior, asciende por el tubo que las une, pasa por el filtro donde se encuentra el café molido y sigue hasta el final del tubo hasta salir a la parte superior.

Pasos para preparar un café con la cafetera moka:

1. Llenamos la parte inferior de agua caliente, pero solo hasta la válvula de seguridad, sin cubrirla. Es aconsejable usar agua con la mineralización correcta o embotellada para que el posible sabor del agua no afecte a nuestra bebida.

2. Ponemos el café en el filtro. No es necesario presionarlo ni apelmazarlo, ya que lo que importa es que el café esté bien distribuido y así el agua pueda pasar con más facilidad a través de él. Podemos darle pequeños golpecitos para que el café quede bien distribuido.

3. Enroscamos las dos partes de la cafetera.

4. Ponemos la cafetera a fuego fuerte, dejándola destapada.

5. Una vez veamos que el café está subiendo, bajamos el fuego. Cuando empiece a burbujear, aproximándose al final, aunque no haya subido por completo, simplemente bajamos la tapa y la retiramos del fuego.

6. Si queremos cortar la extracción de una manera más eficaz para evitar sabores indeseados, debidos a la alta temperatura del agua, podemos retirar la cafetera del fuego y colocar la parte inferior sobre una cubeta con cubitos de hielo y agua fría.

7. Removemos el café para homogeneizarlo.

8. Lo servimos.

Pese al falso mito de que la cafetera italiana no hay que limpiarla en profundidad o con frecuencia, es necesario indicar que su limpieza es fundamental para un correcto mantenimiento y, en definitiva, para lograr un buen sabor. La limpieza ha de realizarse, si fuese necesario, con jabón (una limpieza en profundidad) y con agua después de casa uso, frotando para eliminar restos de aceites y partículas.

Es importante mantener el filtro limpio y libre de impurezas. Si está sucio, provocará que el café arrastre impurezas, y perderá calidad.

EXPRESO

Las máquinas de expreso surgieron ante la necesidad de preparar un café de manera rápida, casi inmediata y de manera sencilla (el significado de la palabra expreso evoca la rapidez).

La primera máquina, patentada por Angelo Moriondo, fue mostrada por primera vez en la Exposición General de Turín en 1884, y despertó una gran expectación. Después, se fueron realizando mejoras a esta primera máquina y fueron otros quienes adquirieron la patente.

Los italianos afirman que el tiempo de preparación debe estar entre los 20 y 30 segundos. No obstante, pese a estar preparado en tan corto espacio de tiempo, el expreso es una bebida compleja, densa y muy concentrada.

El expreso suele caracterizarse por su acidez, pero también por su dulzura, y sobre todo por la capa de crema que se forma en la superficie, compuesta principalmente por aceites y melanoidinas presentes en el café.

La cantidad de café molido utilizado suele depender de la receta que se vaya a preparar y de la capacidad que nos permita el cacillo (ubicado dentro del portafiltro). Normalmente, su capacidad oscila entre los 8 y los 10 g, y se obtiene una taza de 20-30 ml. No obstante, debemos volver a hacer hincapié en que esta no es una receta fija, sino que hay que ir experimentando y, sobre todo, tener en cuenta otras variables, como el tipo de café, su tueste, etc.

Lo que distingue a esta técnica de otras es la presión que ejerce el agua. Un requisito imprescindible es que la máquina tenga una presión en el portafiltro de 9 bares, y una presión en la caldera de 1 bar, lo que equivale a unos 116-121 °C. Un buen expreso debe prepararse con agua limpia y con un contenido medio en minerales (ni muy alto ni muy bajo).

El agua debe encontrar en su camino una pastilla o disco de café bien compactado en el portafiltro, es decir, una superficie que ofrezca resistencia al agua. Para lograrlo, se suele utilizar un támper o prensa, que se ha convertido en la figura del barista, ya que le permite prensar la dosis de café en el portafiltro, ejerciendo la presión más adecuada con el objetivo de dejarla bien compactada. No obstante, el barista ha de asegurarse de que el café haya sido distribuido uniformemente en el portafiltro, ya que si no es así la extracción no será correcta. Como dato curioso, existe también una herramienta llamada *distribuidor*, para ayudar al barista a la correcta distribución del café.

Antes de colocar el portafiltro en el grupo, es aconsejable tirar un poco de agua durante unos 3-4 segundos, esto ayudará a estabilizar la temperatura y aclarar la ducha, eliminando las partículas de café que pudieran haber quedado del uso anterior.

Por último, es importante que la máquina esté completamente limpia, ya que las grasas que contiene el café suelen dejar partículas en los filtros y pueden darle un sabor rancio. Por ello, es primordial utilizar el cacillo ciego varias veces al día para mantener una extracción homogénea, además de los cepillos de limpieza correspondientes.

AEROPRESS

Ideada por el estadounidense Alan Adler en 2005, se ha convertido en una técnica muy popular y está muy instaurada en el mundo cafetero. La idea de Alan era intentar reducir el amargor del café, por lo que intentó acortar el tiempo de infusión en esta técnica.

Es una combinación perfecta que une la cafetera de émbolo con un filtro de papel y utiliza la presión para elaborar un café compuesto de más aceites y menos sedimentos en un tiempo récord, por lo que resulta un método fácil y rápido para prepararnos un buen café.

La AeroPress tiene una estructura de dos cilindros de plástico que funcionan introduciendo aire a presión sobre la mezcla de agua y el café molido.

En este método de inmersión, tenemos un control absoluto sobre el tiempo de preparación y también sobre el agua, que como sabemos afecta a la extracción.

Se puede controlar el método y las cantidades para extraer el café de la forma que se prefiera por eso no existe un consenso respecto al gramaje de la molienda ni respecto a la temperatura del agua, ya que dependerá de la forma en que la usemos y de cómo queramos que sea el resultado final.

Los filtros juegan un papel muy importante en esta preparación, ya que, al filtrar más que la prensa francesa, por ejemplo, los aceites producidos en el café obtienen una taza mucho más limpia.

Por todo ello, los cafés obtenidos mediante este método suelen destacar por su limpieza y claridad, a diferencia de los obtenidos mediante émbolo o prensa francesa.

Es un método versátil, ya que puede utilizarse de dos formas diferentes, aunque muy similares: una más parecida a la prensa francesa; la otra, al método invertido.

Pasos para preparar café con la AeroPress mediante el método de prensa francesa:

1. Colocamos el filtro sobre el disco de plástico perforado y lo apoyamos sobre la taza que vayamos a servir.

2. Vertemos agua caliente sobre él, mojándolo de forma regular, y después desechamos el agua. De esta forma, el filtro y la taza ya estarán precalentados y listos para recibir el café.

3. Ponemos el café dentro del cilindro de preparación a través de su apertura superior; para ello, podemos ayudarnos de un pequeño embudo.

4. Añadimos el agua en un solo movimiento y removemos el contenido del cilindro hasta conseguir que todas las partículas del café molido entren en contacto con el agua y se infusione de manera correcta.

5. Introducimos el otro tubo dentro del cilindro donde tenemos la mezcla del café y dejamos reposar la infusión aproximadamente un minuto.

6. Presionamos el émbolo contra la infusión. La cámara de aire generada entre los dos cilindros ayudará a aumentar la presión en el interior del recipiente inferior.

7. Finalmente, extraemos el café y ya estará listo para servir.

Pasos para preparar café con la AeroPress mediante el método invertido:

1. Colocamos el filtro sobre el disco de plástico perforado y lo apoyamos sobre la taza que vayamos a servir.

2. Vertemos agua caliente sobre él, mojándolo de forma regular, y después desechamos el agua.

3. Colocamos los dos cilindros.

4. Ponemos el café dentro del cilindro de preparación, pero con la cafetera invertida.

5. Añadimos el agua en un solo movimiento y removemos el contenido del cilindro hasta conseguir que todas las partículas del café molido entren en contacto con el agua y se infusione de manera correcta.

6. Colocamos el cabezal con el filtro, presionándolo ligeramente con el objetivo de eliminar el aire contenido en la parte superior.

7. Invertimos la cafetera y lo colocamos sobre la taza o recipiente.

8. Presionamos el émbolo contra la infusión. La cámara de aire generada entre los dos cilindros ayudará a aumentar la presión en el interior del recipiente inferior.

GOTEO

Este es el método que mejor representa el café filtrado. Tiene a la gravedad como único aliado para ejercer la presión sobre el agua y que esta circule sobre el café. La forma en que la bebida cae en el recipiente es más lenta que en otras técnicas, y se asemeja más a un goteo incesante, por eso adopta este nombre. También se le llama *slow coffee* o *café lento*.

Existen diferentes métodos de goteo, desde manuales hasta automáticos. Sin embargo, las técnicas más representativas y más utilizadas son la V60 y la Chemex.

Para los métodos de goteo utilizamos una técnica llamada *turbulencia*. ¿A qué nos referimos cuando hablamos de turbulencia? La turbulencia es el movimiento que generamos en las partículas de café cuando preparamos la bebida. La turbulencia causa la separación de las partículas de café, lo que permite un flujo uniforme del agua a través y alrededor de ellas para una extracción correcta. Por ello, es aconsejable que todas las partículas de café estén en contacto con el agua durante el mismo tiempo. Se estima que cada grano de café absorbe 2 ml de agua, aproximadamente, aunque dependerá de aspectos como el origen del café, la edad de los granos o incluso las concentraciones de calcio y bicarbonato de sodio presentes en el agua.

También es necesario indicar, por ejemplo, que si el grado de molienda no ha sido uniforme hará que se extraiga a diferente ritmo, provocando un sabor desagradable en taza. Generalmente, las partículas más grandes se subextraerán, mientras que las más pequeñas se sobreextraerán.

V60

La V60 es un método alternativo de preparación del café inventado por la firma japonesa Hario que permite controlar la temperatura y el tiempo de extracción para sacar lo mejor del café.

Se ha convertido en uno de los métodos de preparación más utilizados en los *coffee shops* de todo el mundo, debido a que permite mantener un control del cuerpo del café.

La cafetera V60 consiste en un cono, generalmente de cerámica, ya que mantiene mejor el calor (aunque también los hay de vidrio, metal o plástico), con una textura interna a base de relieves en forma de espiral (para permitir que se libere el aire) y un fondo abierto para poner debajo el recipiente o la taza donde se recogerá la bebida filtrada.

El nombre V60 proviene de vector 60, es decir, el ángulo que forma su cono. La forma de este ángulo hace que el agua fluya desde los exteriores hacia el centro, aumentando el tiempo de extracción, y permite alterar el sabor debido a la velocidad con la que vertemos el agua, principalmente. Si usamos 300 ml de agua, obtendremos 2 o 3 tazas de café.

Pasos para preparar un café con el método de goteo V60:

1. Ponemos el cono sobre la taza o jarra donde vayamos a preparar la bebida.

2. Colocamos el filtro y procedemos a humedecerlo, con el objetivo de eliminar cualquier impureza que pueda haber y eliminar el sabor del papel con el que está fabricado el filtro. Desechamos este líquido.

3. Distribuimos el café en el filtro, intentando que esté repartido de manera uniforme. La cama formada no debería superar los 5 cm de altura.

4. Vertemos agua caliente, preferiblemente desde un hervidor con cuello de cisne, y vamos trazando pequeños círculos o turbulencias para humedecer todo el café.

5. Tras unos pocos segundos de preinfusión, seguimos vertiendo de nuevo agua en forma de círculos más amplios, y siempre en la misma dirección. La preinfusión ha de hacerse con el doble de gramos de agua que de café; por ejemplo, para 18 g de café emplearemos 36 g de agua.

6. Retiramos el filtro del cono V60.

7. Retiramos el cono y removemos el contenido de la taza con suavidad.

8. Disfrutamos de nuestra taza de café.

Chemex

La cafetera Chemex es una elegante cafetera fabricada en vidrio que combina a la perfección diseño y funcionalidad. Diseñada en 1941 por Peter Schlumbohm, puede presumir de haber sido premiada como uno de los mejores diseños en los tiempos modernos y está expuesta en el Museo de Arte Moderno de Nueva York (MoMA); por ello, se ha convertido en objeto de culto entre los amantes del café de todo el mundo.

El resultado final es una taza de cuerpo ligero y limpia, ya que el filtro (usualmente de papel, aunque los hay también de metal) puede retener una gran cantidad de aceites durante el proceso de extracción, y además impide que los sólidos también lo puedan atravesar.

El tamaño de la molienda suele ser medio-grueso, para evitar que el agua se estanque en el filtro, aunque si la molienda es demasiado gruesa y el goteo es demasiado rápido puede provocar una subextracción.

El tiempo de extracción suele ser estar entre 3 y 6 minutos, dependiendo de la técnica empleada para el vertido y de la molienda que se haya hecho.

En el caso de la Chemex, se recomienda usar 500 ml de agua.

Pasos para preparar un café con el método de goteo Chemex:

1. Colocamos el filtro en la parte superior. El papel empleado suele ser grueso, lo que ayuda a expulsar los posibles sedimentos y la grasa del café.

2. Humedecemos el filtro con agua caliente (a unos 94 °C) para suprimir cualquier impureza que pueda haber, eliminar el sabor del papel y precalentar el recipiente.

3. Vaciamos el contenido de agua.

4. Colocamos el café molido sobre el filtro.

5. Vertemos con una jarra un poco de agua caliente y dejamos que repose entre 30 segundos y 1 minuto, de esta manera realizaremos una preinfusión. Lo ideal sería utilizar una jarra con cuello de cisne, ya que ayuda a poder realizar círculos de manera más sencilla para añadir el agua. Por lo general, se suele utilizar el doble de agua que de café; por ejemplo: para 30 g de café, 60 g de agua.

6. Vertemos el agua haciendo círculos para conseguir una buena oxigenación del café y siempre en la misma dirección, desde el centro hacia fuera.

7. Es importante que el agua no se vierta de una sola vez, sino poco a poco, intentando evitar las paredes de la cafetera y que los granos no se sequen, para mantener la temperatura.

8. Retiramos el filtro y removemos bien el contenido.

ÉMBOLO O PRENSA FRANCESA

Inventada y diseñada en 1929 por el italiano Attilio Callimani, la prensa francesa tiene una forma exterior muy similar a la de un pistón o émbolo que se desliza sobre una superficie cilíndrica. Ello lo convierte en un método sencillo de preparar café, permitiéndonos disfrutar de todo el sabor.

La prensa francesa está compuesta por tres partes: el contenedor o cuerpo (recipiente de cristal donde infusionaremos el café), la tapa y el émbolo. El émbolo tiene una especie de filtro de nailon, goma o aluminio capaz de dejar pasar solo el agua y no los posos (o restos) de café.

Es un método de preparación por inmersión que destaca por su simplicidad. Se basa en moler el café, añadir agua e ir presionando hasta obtener el resultado. Pero incluso a pesar de su simplicidad es posible que el resultado final no sea el esperado, debido al incorrecto grosor de la molienda, a la temperatura del agua o al tiempo de extracción.

Una cafetera de émbolo suele ofrecer una taza de café con cuerpo y textura, ya que la mayoría de los aceites permanecen durante la extracción.

Pasos para preparar un café con la prensa francesa:

1. Preparamos el agua caliente a unos 92-96 °C.

2. Molemos el café a un tamaño grueso y lo colocamos dentro de la cafetera.

3. Vertemos el agua caliente sobre el café y removemos la mezcla suavemente antes de poner el émbolo y la tapa.

4. Dejamos en reposo el café durante unos 4-8 minutos.

5. A continuación, presionamos el émbolo lentamente hacia abajo hasta que llegue al fondo, asegurándonos de que el filtro metálico permanece en posición horizontal en todo momento.

6. Traspasamos la bebida resultante a otro recipiente, ya que si el café sigue en contacto con el agua la extracción continuará y provocará una sobreextracción.

SIFÓN O CAFETERA DE VACÍO

Esta cafetera sorprende por su forma original, ya que más que una cafetera parece un instrumento de laboratorio.

El café molido se añade en el recipiente superior y el agua caliente en el inferior. En el momento en que el agua empieza a hervir y a generar gases, se genera un vacío que hace que suba el café hacia la parte superior a través de un pequeño tubo. Una vez la llama se ha apagado y la temperatura desciende, el aire contenido en el recipiente inferior hace que se ocasione de nuevo otro vacío, pasando el café del recipiente superior al inferior.

Pasos para preparar un café con el sifón:

1. Colocamos el filtro en el recipiente superior y ponemos el café.

2. Tiramos de la cadena hacia abajo hasta que se pueda enganchar a la parte inferior del tubo que las conecta.

3. Llenamos el recipiente inferior con agua un poco caliente.

4. Rellenamos el quemador con alcohol y procedemos a encenderlo (aunque también existen quemadores de gas o lámparas de infrarrojos).

5. Esperamos que el agua empiece a hervir.

6. Una vez que el agua alcanza la temperatura de ebullición, asciende a través del tubo de vidrio, pasando por el filtro donde se encuentra el café (aunque el café puede ser añadido una vez el agua está en la cámara superior).

7. Removemos la mezcla obtenida.

8. Después de este proceso, apagamos el quemador.

9. En este momento, la bebida empezará a bajar hacia el recipiente inferior a medida que se va enfriando y el vacío generado atrae todo el líquido.

10. Quitamos la parte superior.

11. Ya tenemos el café listo para servir.

CAFÉ TURCO O *IBRIK*

Este es uno de los métodos de preparación más antiguos que se conocen. Hay estudios que lo datan en torno al siglo XVI, y todavía hoy es muy común en países de Oriente Medio, así como en los Balcanes.

Este método consiste en utilizar una molienda extremadamente fina. Durante el proceso de extracción se obtendrán todas las propiedades del café mediante la maceración. Al mezclar el café con agua caliente, obtendremos una taza muy concentrada y con gran cuerpo, ya que la bebida no es filtrada.

Para preparar este tipo de infusión, es necesario disponer del característico *cevze*, un instrumento de cobre que le da un sabor particular al café y que dispone de un asa o mango largo para que no nos quememos cuando lo preparamos. El recipiente suele tener la base un poco más ancha que la parte superior, y su capacidad varía según la cantidad de café que queramos preparar.

Pasos para preparar un café con el método *Ibrik* (100 ml):

1. Necesitamos 80 ml de agua limpia a temperatura ambiente de 8 a 10 gramos de café molido muy fino (de una textura entre harina y arena fina).

2. Colocamos el café en el recipiente con la mitad del agua, y mezclamos bien con un palito de madera para no dejar grumos.

3. Añadimos el resto del agua y ponemos el *cevze* en el fuego, a fuego bajo. Pasado un minuto, removemos.

4. El café tiene que subir. El tiempo total de preparación no debe superar los 4 minutos.

5. Le podemos poner también diferentes tipos de especias.

6. El resultado será un café con una crema densa y elástica, una bebida con un cuerpo cremoso e intenso.

COLD BREW

Con la llegada de las altas temperaturas, apetecen bebidas más frías, y la fórmula perfecta de seguir disfrutando del café es preparándolo mediante el método *cold brew*.

No se trata de preparar un expreso para después agregarle hielo. Es un método de preparación en sí, consistente en infusionar el café molido con agua a temperatura ambiente y dejarlo enfriar durante, al menos, 12 horas.

El proceso es lento, ya que durante su preparación en ningún momento interviene el aumento de temperatura. Las reacciones químicas que se producen durante la extracción se dan más lentamente y requiere mucho tiempo.

Cada barista debe experimentar y establecer cuántas horas de maridaje necesita para resaltar las diferentes cualidades del café. No existe una

---

El *cold brew* es un café menos amargo y con menos cafeína; una bebida que tiene mucho éxito en Inglaterra, Estados Unidos y Australia.

---

fórmula exacta, es una cuestión de gustos, aunque sí podemos dar algunas pautas generales que nos ayudarán en su preparación.

La molienda debe ser gruesa y con un nivel de tueste medio. Si utilizamos entre 60 y 80 gramos de café, la bebida tendrá un sabor ligero y refrescante. En cambio, si aumentamos el peso a 80-120 gramos, el sabor será mucho más intenso, ideal para prepararlo con un poco de leche.

El resultado final es un café que mantiene todas sus propiedades, pero que presenta una menor acidez, ya que es diferente de cualquier otro método de extracción porque no se usa agua caliente en su preparación.

Una vez lista la bebida, puede conservarse hasta un máximo de dos semanas en la nevera, teniendo en cuenta que cuanto más tiempo pase más se modificará el resultado final.

CÓMO CONSUMIR EL café

Existen diferentes maneras de infusionar el café. Incluso, dentro de la misma técnica, podemos experimentar con diferentes recetas para obtener diferentes sabores. A continuación, presentamos buenos consejos para preparar las recetas más comunes y consumidas habitualmente.

expreso

Tiene su origen en Italia y su nombre se debe a la forma de preparación. La primera máquina expreso nace a principios del siglo XVIII, con la finalidad de reducir el tiempo de preparación del café. El expreso es la base de todas las bebidas.

Limpiamos bien el cacillo para eliminar los restos de café que pudiera contener.

Distribuimos y prensamos bien el café para asegurar una buena extracción.

Antes de colocar el portafiltro en el grupo, apretamos el botón de la máquina y despreciamos un poco de agua durante unos 3-4 segundos.

Colocamos el portafiltro en el grupo de la máquina y le damos al botón de preparación de café.

Para preparar un *single espresso*, necesitamos de 7 a 10 g de café molido.

La presión del agua de la máquina debe estar a 9 bares y el agua entre 90,5 °C y 96 °C; la extracción debe durar entre 20 y 30 segundos.

El volumen en taza es de 25 a 30 ml.

Habremos conseguido un resultado óptimo si cada sorbo tiene gran cuerpo y está lleno de sabor.

expreso
doble

El expreso doble es la receta perfecta para las personas a las que un expreso se les queda corto. Son dos expresos servidos en la misma taza.

Para su preparación, utilizaremos el doble de café molido que en el *espresso single* y obtendremos el doble de volumen de la bebida que en la receta anterior.

En la máquina de expreso podremos utilizar un portafiltro de dos tazas o un portafiltro *naked* o desnudo, en el que el filtro queda expuesto y se extrae directamente el expreso del filtro hasta la taza.

Para preparar un expreso doble, necesitamos de 14 a 20 g de café molido.

La presión del agua de la máquina debe estar a 9 bares, el agua entre 90,5 °C y 96 °C, y la extracción debe durar entre 20 y 30 segundos.

El volumen en taza es de 50 a 60 ml.

ristretto

Es un café muy concentrado y con muy poco volumen, con un sabor muy intenso y un color muy oscuro.

Se prepara con la máquina expreso. Se emplea la misma cantidad de café que para preparar un expreso y el tiempo es el mismo, pero el molido es más fino y se usa menos cantidad de agua, unos 20 ml.

Se pueden agregar más gramos de café en la receta base para conseguir una bebida más concentrada.

Si seguimos la misma receta que el *expreso*, podríamos considerarlo una subextracción, ya que lo que se hace es extraer los sólidos más pesados. Los sabores son más intensos y fuertes, porque al pasar menos cantidad de agua por la pastilla se diluyen en menor proporción.

lungo

También conocido como *largo*, se prepara en la máquina expreso, pero con un tiempo de preparación más largo, pudiendo ser incluso el doble.

El sabor de un café *lungo* puede ser un poco más amargo que el del expreso, debido a que la cantidad de agua caliente que pasa por el café y el tiempo de extracción son mayores.

La forma menos adecuada de prepararlo es apretando el botón de la máquina expreso dos veces, puesto que modificará el sabor.

Si lo que verdaderamente se está buscando es un café más liviano, con sabores más dulces por encima de los amargos, lo recomendable sería añadir un poco de agua sobre la base del expreso, aunque menos que en el caso del café americano.

café
americano

Es importante que no lo confundamos con el café *lungo* o largo, ya que la forma de prepararlo es la misma, pero las proporciones son diferentes. El café americano se obtiene con un expreso y con agua caliente.

Aunque lo ideal sería hacer un café filtrado con una cafetera de goteo, podemos adaptar la receta para hacerlo con una máquina expreso.

Hacemos el expreso y le añadimos agua: de cuatro partes, una estaría compuesta por el *expreso* y las otras tres serían agua caliente.

La diferencia respecto al *lungo* es que en este caso se utiliza mayor cantidad de agua.

A la hora de la preparación no importa que se haga primero el expreso y luego añadamos el agua, o al revés, ya que el resultado final es el mismo.

Debemos utilizar, como mínimo, una taza de 150 ml.

espresso
macchiato

Su nombre viene de la mancha que hacían los baristas para señalar cuál de los expresos llevaba una gota de leche.

En España, nuestro *café cortado* se distingue del *macchiato* porque intenta cortar mediante la leche los sabores fuertes de un expreso cuando este es de dudosa calidad; además, presenta más cantidad de leche que el *macchiato*.

Preparamos el *macchiato* elaborando el expreso y después añadimos unas gotas de leche, manchándolo con la crema. Cabe destacar que en esta bebida predomina el café sobre la leche, aunque la mancha que ponemos en la superficie puede cubrir un 80 % o 90 % del café.

En el caso del cortado, elaboramos el expreso y añadimos la leche, siendo la proporción normalmente de un 50-50.

latte macchiato

**Es el contrario al *espresso macchiato*.
Si en la anterior receta hablábamos
de un café manchado de leche, en esta
es la leche manchada de café.**

Presentamos el *latte macchiato* en un vaso
de cristal, para poder diferenciar las tres
capas de la bebida: leche, expreso y crema.
Para conseguirlas, debemos jugar con la
temperatura de la leche y su textura.

En primer lugar, ponemos la leche. Después,
vertemos una buena crema con una correcta
emulsión de la leche, así conseguiremos que
estas se separen correctamente, creando una
capa de crema en la parte superior.

Añadimos el medio expreso poco a poco con
una jarra de pico pronunciado y con la ayuda
de una cuchara para después colocar la crema
correctamente.

La resistencia de la crema hará que cuando
añadamos el expreso este quede entre la leche
y la crema, debido a las densidades. Es muy
importante verter el espreso de manera suave
y continua.

capuccino

Pese a la creencia general de que un *capuccino* lleva otros ingredientes aparte de la leche y el café, tales como chocolate, canela, vainilla, etc., el *capuccino* clásico no los lleva.

Es una bebida elaborada con café y leche. A una base de expreso, le añadiremos la leche.

En realidad, no hay diferencia significativa respecto a un café con leche. Muchas veces, se añaden ingredientes para hacer creer que es una bebida diferente, pero no lo es. La clave para un buen *capuccino* está en el balance entre café y leche.

Para preparar la leche, utilizaremos el vaporizador de la máquina expreso y con una jarra introduciremos el vapor a presión, lo que le aportará una textura cremosa.

Obtendremos mejores resultados en la cremosidad de la leche si la hemos enfriado con anterioridad (en la nevera, a unos 5 °C).

Para conservar el calor de la leche, es recomendable servir el *capuccino* en una taza de cerámica.

latte

Es lo que pedimos como café con leche. A diferencia del *capuccino*, en el *latte* predomina la leche, mientras que en el *capuccino* se busca un balance.

Como la leche es el ingrediente predominante, debemos potenciar el dulce propio de la leche.

Para hacer *latte art*, podemos emplear tres técnicas, que pueden aplicarse tanto en *capuccinos* como en los *latte* o *flat white*:

Free pour. Se hace el dibujo en el café con la caída de la leche directamente desde la jarra.

Con punzón. Se dibuja colocando crema de la leche en la superficie del café y delineando los dibujos con un punzón. A veces, se pueden utilizar siropes de chocolate o caramelo.

***Free pour* con punzón**. Se hace una tirada con la crema de la leche en el café para hacer una mancha y luego se modifica con un punzón para crear un dibujo.

flat *white*

Proveniente de Australia, es una de las tendencias que está introduciéndose con fuerza en los últimos años en nuestro país.

Se elabora mediante un expreso doble y leche. En esta forma de preparación, predomina el sabor del café y se vierte una fina capa de leche caliente encima del expreso doble.

La diferencia de esta bebida con el *capuccino* es la cantidad de leche empleada, así como el café. Suele usarse, además, una taza un poco más pequeña que en el caso del *capuccino*.

Parece que el *flat white* es tan popular en las cafeterías de la tercera ola porque nos permite apreciar mejor los sabores del *expreso* que en otras recetas.

café
irlandés

Cuando hablamos de café irlandés, en realidad estamos hablando de un cóctel. Los orígenes de esta receta se sitúan a finales de los años 40 en un aeropuerto de Irlanda, cuando un pasajero tuvo la idea de añadir whisky al café como remedio contra el frío.

Necesitaremos 40 ml de whisky irlandés, un expreso doble, 35 ml de nata montada y una cucharadita de azúcar moreno.

La forma más popular de prepararlo es la que diferencia claramente las tres capas de la bebida.

En primer lugar, echamos el azúcar en el whisky y lo calentamos flambeándolo hasta que adquiera más consistencia.

Añadimos el café con una cuchara larga para que no caiga de golpe y no se mezcle con el whisky.

Por último, coronamos con la nata montada.

Se puede decorar la parte superior con una hoja de menta, canela o un poco de chocolate rallado, a gusto del barista.

café vienés

Es una preparación que gusta mucho por el dulzor que aporta la nata montada.

Para prepararlo, emplearemos un doble expreso y en la parte superior pondremos la nata montada.

Queda muy bien servido en un vaso de cristal, para que se puedan ver las dos partes de la bebida.

Conviene que la nata sea más densa que en el caso del café irlandés, pero sin llegar a que esté montada por completo, ya que tiene que deslizarse por encima del café.

Para terminar la presentación, se puede espolvorear con canela o cacao para darle mayor personalidad, aunque esta no es la receta original.

coffee *tonic*

Esta combinación ha empezado a formar parte de muchas cartas de cafeterías en los meses de verano. Se suele presentar con una rodaja de lima o una hoja de menta.

Para preparar esta bebida, elegiremos un café de tueste claro infusionado con algún método de filtro, preferiblemente *cold brew*.

Pondremos dos o tres cubitos de hielo (preferiblemente cubitos de café) y añadiremos la tónica, llenando ¾ partes del recipiente.

Después, añadimos ¼ del café frío lentamente, para que respete la división de colores entre las bebidas.

En este caso, sería recomendable utilizar un café que destaque en notas cítricas, para que al combinarse con la tónica se realcen estas características.

El resultado es sorprendente, por la sensación de tomar una bebida de café tan refrescante.

cereza
de café

Clasificada durante mucho tiempo como un deshecho, investigaciones recientes destacan que la infusión de la cereza del café es una bebida energética, antioxidante y diurética.

Se consume infusionada, con una temperatura del agua entre 90 °C y 92 °C, y un tiempo de infusión de unos 2 o 3 minutos.

Es necesario filtrarla antes de consumirla.

Respecto a su descripción organoléptica, podemos indicar que tiene un aroma fresco, a frutas rojas maduras; acidez suave, de moras y pasas, y notas de canela y bergamota. El resultado es una bebida agradable, elegante y equilibrada.

el CAFÉ DE especialidad

El café de especialidad, también conocido como *specialty coffee* en inglés, es un café de categoría superior. Así son designados en todo el mundo los mejores cafés, aquellos de una calidad única, sabor singular y personalidad propia, y que destacan entre las bebidas que se sirven en la mayoría de lugares.

Un café de especialidad requiere de un alto nivel en la calidad del cultivo, en la cosecha selectiva, en el tueste y también en el envasado. Además de todos estos requisitos, las fincas deberían tener responsabilidad social y ambiental, lo que daría como resultado un producto de origen sostenible y controlado. Los cafés de especialidad se distinguen por su sabor y su aroma, así como por la ausencia de defectos. El proceso para obtener un café de especialidad es muy complejo y abarca diferentes fases, que van desde su origen y recolección, hasta el secado, el tueste y también la preparación.

El café de especialidad no solo es un café definido por los sabores que le otorga un determinado microclima, sino que también viene determinado por tener una trazabilidad perfecta.

El auge de los cafés de especialidad indica que se requiere de un nuevo modelo. Un modelo en el que las fincas y los productores colaboren con todos los agentes de la cadena de valor.

Esto demuestra la importancia actual de establecer sistemas para rastrear el café desde su origen hasta su destino final, con el objetivo de asegurar la calidad del café; por ello, entra en juego la importancia de una correcta trazabilidad del producto.

La importancia de una correcta trazabilidad en el café

La trazabilidad son todos aquellos procedimientos que permiten conocer las características del origen, los procesos y el recorrido por los que ha pasado un producto, desde su origen como materia prima, hasta llegar a las manos del consumidor. En el mundo del café, la trazabilidad está adquiriendo cada vez más importancia y se ha convertido en una herramienta fundamental, ya que gracias a ella se registran todos los pasos que el café recorre durante toda la cadena agrocomercial.

Una correcta trazabilidad conlleva una serie de beneficios que hay que tener en cuenta. Entre ellos, podríamos destacar un aumento de las expectativas del consumidor sobre la calidad esperada; la transparencia en la información sobre el producto; una cuidadosa identificación de todos los procesos; la capacidad de detectar posibles contaminaciones y defectos en el café, y una garantía de origen.

Para conseguir una correcta trazabilidad, se requiere de un compromiso de todos los participantes en la cadena de valor del café con el objetivo de lograr una identificación inequívoca del producto: registros exactos, procedimientos sistemáticos y una adecuada comunicación entre los sectores de la producción hacia los clientes.

Debido a la sensibilidad que despiertan temas como el medio ambiente, el desarrollo sostenible o la responsabilidad social, se han ido incrementando el número de sellos y certificaciones de sostenibilidad en el mercado.

Certificaciones en el café

Las certificaciones son una ayuda directa a los consumidores a la hora de tomar decisiones de compra, pues les transmiten información sobre los atributos de calidad. Además, aseguran a los consumidores que el café que las posee cumple con unos estándares de calidad previamente definidos, ya sea en materia ambiental, social o de producción. Estos sellos certifican una producción del café más sostenible.

Cada vez más, los cafés certificados se están convirtiendo en tendencia dentro del mercado, por lo que productores, empresas y consumidores tratan de fomentar prácticas más respetuosas con el medio ambiente y con la comunidad, que mejoran las condiciones económicas y sociales de los productores. Aunque estas certificaciones son voluntarias, muchos compradores o productores las consideran un valor añadido.

No obstante, el uso de sellos o certificaciones en el café no asegura una calidad excepcional o superior a otros que con las mismas características no han sido certificados, ya sea por cuestiones económicas o por desconocimiento.

Según la Organización Mundial del Comercio, en los últimos años, más del 10 % del café verde exportado en todo el mundo contaba ya con alguna certificación o sello de sostenibilidad. Este hecho ha supuesto un crecimiento anual de entre el 20 % y el 25 %.

Certificaciones más importantes en el mundo del café:

Fair Trade (Comercio Justo). Garantiza un precio mínimo de venta para los productores y que el café ha sido producido exclusivamente por pequeños agricultores.

Producción orgánica. Garantiza que durante la producción del café no se han utilizado ningún tipo de fertilizantes o productos químicos.

Utz Certified. Se centra en la promoción de buenas prácticas empresariales para alcanzar la sostenibilidad, además de establecer un sistema de trazabilidad.

Rainforest Alliance. Esta certificación se basa en el cumplimiento de una serie de criterios establecidos para regular la producción agrícola, de forma que se haga un uso racional del suelo, se proteja el medio ambiente y la vida silvestre, y con el menor daño posible.

Café de finca

La comercialización del café de finca es tendencia en el mundo del café de especialidad. Al mismo tiempo, en una misma finca de café se pueden producir microlotes. Esto es, un perfil único de mayor calidad que el resto de la cosecha y que podría deberse a la tierra de una determinada zona de la finca, a la sombra, a la recolección selectiva, a la variedad o al proceso aplicado. Incluso es posible mantener por separado diferentes calidades dentro de una misma finca.

Estos lotes se suelen separar y tratar con especial cuidado en la elaboración, fermentación, secado y clasificación. La producción de este café suele ser muy pequeña y exclusiva para productores e importadores, por lo que se añade valor a su calidad única.

En realidad, la comercialización de un café de finca es claramente una ventaja para el productor, ya que suele obtener precios más altos debido a que su producto es muy valorado por el cliente final.

EXPERTOS
EN EL
café

Desde el productor hasta el barista, numerosos son los expertos que hacen del café su modo de vida, a la vez que nos transmiten su verdadera pasión. Una suma de conocimientos para ofrecernos un producto genial.

EL **productor**

El café representa el medio de sustento de familias enteras en muchos países de América del Sur, África y Asia.

Se estima que cerca de 25 millones de personas en todo el mundo participan en la producción y el procesamiento del café.

Hoy día, los productores se enfrentan a grandes retos que afectan a sus cultivos, como el cambio climático y el tratar de lograr precios justos para su producto, ya que en algunos casos no llegan siquiera a cubrir costes. Esta inestabilidad en los precios influye negativamente en el desarrollo de ciertas regiones productoras de café, ya que en muchos lugares no tienen ni tan solo cubiertas ciertas necesidades básicas, como el acceso a la vivienda o una buena asistencia sanitaria.

El futuro debería ir encaminado a mejorar las posibilidades económicas de estas comunidades con el objetivo de obtener mejores precios del café, adoptando nuevas prácticas en los cultivos y mejorando la rentabilidad de las fincas. Y todo ello sin perder de vista la protección del medio ambiente mediante proyectos de sostenibilidad, así como la colaboración con instituciones para que, aunando esfuerzos, se puedan conseguir unos mejores resultados para la sociedad. En este sentido, la formación juega un papel fundamental para que el productor sepa verdaderamente cuál es el valor de su producto y tenga recursos para salir adelante.

Mujeres en el mundo del café

Las mujeres desarrollan un papel fundamental en el sector cafetero, constituyendo la mayoría de los millones de trabajadores de café del mundo. Según un reciente estudio de la FAO, las mujeres destinan la mayor parte de sus ingresos obtenidos a cubrir las necesidades de su hogar. Así pues, gracias al trabajo de miles de mujeres cafeteras, se favorece el desarrollo económico y social de estas zonas productoras.

No es fácil encontrar estudios con información fiable sobre este tema. Muchos datos son difíciles de recoger, sobre todo en lo que a economía sumergida se refiere. Por ello, debemos tener siempre muy en cuenta el contexto cuando pretendamos interpretar este tipo de informaciones.

La Alianza Internacional de Mujeres en Café es un organismo dedicado a promover la igualdad de género en este sector, y afirma que la estrategia de desarrollo que consigue mejores beneficios para la sociedad en general es aquella que involucra a hombres y mujeres como activos por igual.

Además, es muy probable que las productoras con menos ingresos y de procedencia indígena tengan menos recursos para entrar en la redes comerciales que mejorarían el rendimiento, la calidad y la comercialización del café que producen.

Numerosas organizaciones trabajan para mejorar las condiciones de las mujeres en la industria del café.

Pero las jornadas de trabajo son duras y en el medio rural, donde las desigualdades entre hombres y mujeres se agravan, existe una clara desigualdad en cuanto a salarios, y también una diferenciación respecto al rol que desempeñan las mujeres en la toma de decisiones y de poder, ya que muchas veces juegan un papel de subordinación respecto a los hombres.

La intervención de las mujeres en la cadena de valor del café siempre ha sido fundamental, participando en todas y cada una de las etapas

Crece el número de mujeres en el sector del café: campeonas en barismo, propietarias de negocios, productoras, tostadoras... una generación de jóvenes millenials que se está haciendo un lugar en los nuevos mercados de especialidad.

de producción y comercialización del café, desde la preparación del terreno para la siembra hasta la cosecha de los granos de café y la selección manual, pasando también por el proceso de beneficiado hasta la preparación para la exportación y su posterior venta. No obstante, se estima que del total de mujeres que trabajan en el café solo un 15 % ocupa posiciones de liderazgo o de toma de decisiones. Sin embargo, estos roles varían dependiendo del país; por ejemplo, en Vietnam, las mujeres representan casi el 50 % de los puestos de comercialización del café dentro del país, mientras que en Uganda las mujeres realizan la mayor parte del trabajo de campo y los hombres se dedican a la comercialización. Mención a parte merece el tema de la propiedad; en la mayoría de países, las mujeres son la fuerza laboral primordial sin ser propietarias de la finca y del café.

Pero cada vez más, y gracias a su incesable trabajo y lucha durante años, las mujeres empiezan a ser parte activa de todas las actividades de la cadena de valor cafetera, ganando poder en la nueva toma de decisiones y en la realización de todo tipo de actividades, y desarrollando nuevas habilidades. Todo ello supone la creación de oportunidades para mejorar las condiciones de vida de ellas y de sus familias.

Muchas mujeres cafeteras se sienten orgullosas de trabajar en el sector del café. Así, destacan cada vez más en la producción de cafés de alto valor añadido, exportan a todo el mundo y ganan concursos internacionales de cafés de especialidad como baristas o catadoras.

La amenaza del cambio climático

La amenaza del cambio climático aumenta la vulnerabilidad de las plantaciones y, por tanto, de la sostenibilidad y el futuro de algunas fincas. El cambio climático está provocando que las temperaturas aumenten y que los patrones de lluvia se modifiquen, hecho que genera la propagación de plagas y enfermedades en zonas que hasta ahora no se habían visto afectadas.

En algunas regiones productoras de Latinoamérica, por ejemplo, ya se vienen observando ciertos cambios en las condiciones climáticas, como aumentos en las precipitaciones y humedad relativa, así como cambios en la temperatura, lo que está propiciando variaciones en las plantaciones de café, al verse afectadas las características óptimas para el desarrollo de la planta, produciendo estrés en los cafetos y ambientes propicios para desencadenar epidemias.

Los países con zonas altas donde trasladar sus cultivos tienen más posibilidades de adaptarse a los cambios climáticos.

Cómo afecta la roya al cultivo del café

Las enfermedades y plagas se han convertido en una amenaza para muchos productores de café, especialmente en Latinoamérica.

El impacto que puede generar una epidemia como la roya en Latinoamérica es de dimensiones incalculables. Cientos de miles de familias dependen de este cultivo, y las pérdidas sociales y económicas pueden ser millonarias, por lo que es esencial que se apueste por la investigación y nuevas técnicas que traten de frenar nuevos brotes de esta plaga.

La roya es una de las epidemias más destacadas en los cultivos de café. Se transmite por el aire, principalmente, y el contagio es claramente visible en las hojas de la planta, donde hay una mayor concentración de humedad, manifestándose en forma de pequeñas manchas amarillas o anaranjadas. La enfermedad afecta a los cafetos y provoca la caída de las hojas infectadas, lo cual puede reducir el rendimiento de la planta en un 50 %, ya que el hongo termina por debilitar mucho la planta.

El agua es la causa principal de la propagación de este tipo de hongo. Una epidemia de roya requiere mucha lluvia. Otros factores propicios son el cambio de temperatura, la disminución del brillo solar y el aumento de la humedad relativa.

el CATADOR

Es la persona que juzga la calidad del café mediante un protocolo establecido a través de una evaluación sensorial.

La cata es la práctica mediante la cual se valoran las características que definen un café mediante la degustación y el olfato. Sirve tanto para comparar diversos cafés entre sí como para contrastar si un café se ajusta a una característica determinada.

El catador ha de ser una persona formada y entrenada, capaz de realizar una correcta evaluación sensorial. Para hacerlo, utiliza una serie de protocolos y estándares internacionales que regulan todos los procedimientos. Existe una licencia con validez en todo el mundo, denominada Q-Grader (*quality grader*), que certifica que esta persona conoce todos los protocolos y está capacitada para valorar un café y realizar la evaluación organoléptica y sensorial adecuada. Esta licencia tiene como objetivo unificar criterios, y que catadores de todo el mundo utilicen el mismo *lenguaje*.

¿Cómo se cata el café?

La cata brasileña es el método más utilizado para la evaluación sensorial del café. El catador descubre todos los efectos del café siguiendo un protocolo que le permite valorar el tueste, el punto de la molienda y la temperatura del agua. En definitiva, el catador lo que hace es *desnudar* el café para descubrir tanto sus defectos como sus virtudes.

Una cata puede ser individual, en la que solo se prueba un café, y sirve para encontrar y analizar las características de ese café y detectar si se trata de un café de calidad. Pero también una cata puede ser comparativa; en este caso, se prueban distintos cafés para ver cuál de ellos tiene las mejores propiedades.

Para llevar a cabo este tipo de cata, se utilizan cinco tazas de cada muestra de café, para evaluar su uniformidad y consistencia. Cada taza debe contener la misma cantidad de café: 8 g por 150 ml de agua.

Lo primero que se hace durante una cata de café es evaluar su fragancia. Se huelen los granos de café recién molido en la taza.

A continuación, se vierte agua a una temperatura de 93 °C directamente sobre los granos molidos de café, asegurando que todas las partículas se humedezcan, y llegando hasta el borde de la taza.

Además, hay que disponer de una muestra del café verde y una del tostado para una evaluación visual. También es necesario tener varias tazas de agua caliente sobre la mesa, para que los catadores puedan lavar sus cucharas cada vez que prueban una taza.

Una vez el café ya esté infusionado y tras unos minutos de reposo, se rompe una especie de costra que se forma en la superficie, para valorar el aroma. Después de esta evaluación, los catadores pasan a valorar el sabor, sorbiendo el café a cucharadas y con determinación. Es aquí cuando se puede obtener una percepción general de cada café (acidez, cuerpo…), evaluando también el posgusto, es decir, la duración de las características positivas del sabor que quedan después de la cata de café.

El ambiente durante una sesión de cata ha de ser silencioso, evitando comentarios y juicios de valor, ya que pueden afectar a la valoración que hagan otros catadores.

Condiciones deseables durante una cata:

• Una temperatura ambiente agradable (entre 20-25 °C).

• Una luz tenue, porque mejora nuestro sentido del olfato.

• Un nivel de humedad entre el 50 y el 70 %. Un ambiente demasiado seco puede influenciar nuestro sentido del olfato.

• Si es posible, la cata se debería realizar al acabar la mañana o a última hora de la tarde.

• Evitar realizar la cata justo después de habernos lavado los dientes o después de comer.

• Evitar que haya olores intensos de otros alimentos en la sala.

• No usar perfumes intensos o lociones.

• Cualquier distracción mental, incluso malestar, falta de sueño o estrés pueden afectar al resultado de la cata.

Errores clásicos que afectan la evaluación sensorial:

• **La anticipación.** El exceso de información sobre la muestra puede afectar a la puntuación.

• **Los receptores acostumbrados.** La reducción de sensibilidad debida al contacto prolongado con una de las muestras puede reducir la sensibilidad al respecto y hacer perder detalles finos de sabor y aroma.

• **Los errores estimulantes.** El uso de descripciones que no tengan una relación directa con el sabor. Por ejemplo, la muestra tiene un envoltorio atractivo.

• **El efecto halo.** El impacto de la impresión general de la muestra que afecta a la percepción de sus características.

• **Las opiniones influenciables.** Las discusiones de otros catadores hablando sobre descripciones y evaluaciones sobre la cata.

Factores para evaluar el café

EL AROMA

Mediante el olfato, el catador es capaz de identificar características únicas en los componentes del olor a café, ya que el ser humano es capaz de percibir 10.000 aromas y de identificar hasta 4.000 olores diferentes. A través de la ingestión de aire por los conductos nasales, se transmite sabor a la zona olfativa, porque la fuerte reacción del café aumenta la cantidad de compuestos aromáticos volátiles presentes. Las valoraciones del aroma durante la cata pueden ser:

Aroma en seco. Es la que se realiza a partir de los granos de café recién molidos.

Aroma húmedo. Valoración una vez las partículas del café han entrado en contacto con el agua caliente. Este aroma puede dividirse en dos partes: la primera, cuando se forma la costra (capa superior); la segunda, a la hora de romper la costra (pasados 4 minutos).

Las sensaciones olfativas son complejas y a veces difíciles de catalogar. Existen cuatro grupos diferenciados:

Grupo enzimático. Aquellos compuestos provenientes de las reacciones enzimáticas que ha sufrido el grano mientras todavía era un organismo vivo; por ejemplo, aromas herbales y florales. En este grupo estarían también los aromas más perfumados: cítricos o frutos tropicales.

Grupo de caramelización. Son el resultado de la caramelización de los azúcares que tiene lugar durante el proceso de tostado. Aquí encontramos chocolates y caramelo, pero también frutos secos, entre otros.

Grupo de destilación seca. Resultan del proceso de tuestes más elevados. Son cafés más especiados, en los que encontramos aromas como pimienta, canela o cedro, típicos de los cafés asiáticos.

Contaminación. Es el que aparece por malos procesos o prácticas que haya podido sufrir el café. Por ejemplo, caucho o cuero.

EL CUERPO

Hace referencia a la sensación táctil de los fluidos en la boca, es decir, a la sensación bucal que experimentamos a través de la densidad. Una mayor concentración de azúcares, aceites y proteínas presentes en el café provocarán una mayor densidad y, por tanto, una sensación de más cuerpo.

Un catador en el mundo del café es como un enólogo en el mundo del vino o un alquimista en la fabricación de perfumes.

EL SABOR

Se refiere al gusto, a lo que saboreamos. Para la percepción del sabor, tenemos 10.000 papilas gustativas, que se dividen en caliciformes, fungiformes, filiformes y foliadas. El ser humano es capaz de distinguir una única diferencia en la concentración de una sustancia, que debe estar disuelta en un líquido o gas para ser capaz de identificarla.

Los sabores básicos que podemos identificar son cinco: el dulce, percibido a través de las papilas fungiformes, que están presentes en la punta de la lengua; el salado, percibido por las papilas presentes en la parte lateral de la lengua; el ácido, que se percibe a través de las papilas fungiformes y foliadas, en los lados posteriores de la lengua; el amargo, que se percibe en la parte posterior de la lengua, y el umami, llamado el quinto sabor, caracterizado por el glutamato monosódico y que, en principio, se puede percibir en cualquier región de la lengua.

En general, el conjunto de estas características nos permite complementar la evaluación con otras percepciones o características:

El posgusto, que es la duración de las características del sabor que quedan después de la cata de café.

El balance, que se refiere a la armonía de todos los sabores o atributos presentes en la muestra de café.

La uniformidad, que es la consistencia del sabor en la taza. Es decir, se espera que todas las tazas de la muestra se perciban igual, que no haya defectos, ya que incluso la existencia de un solo defecto en una taza puede causar desuniformidad.

La limpieza, que es la ausencia de los sentimientos negativos. Es la característica primordial de los cafés de calidad, lo que permite que un café brille y destaque.

Los efectos, que son los sabores negativos que provocan que la calidad del café disminuya.

> El catador se centra en evaluar el nivel de acidez, el cuerpo, el amargor, la torrefacción, el aroma y el gusto.

¿Cómo se entrena el paladar? Triangulaciones

Desarrollar el paladar y mejorar las habilidades de cata es algo en lo que se puede trabajar para que los catadores desempeñen de manera más efectiva su trabajo. Una de las prácticas más utilizadas por los catadores es la triangulación, un método muy útil para mejorar el análisis sensorial. Las pruebas de triangulación aumentan la sensibilidad de los catadores para poder captar las pequeñas diferencias que existen en las características del café.

En la mesa de cata colocamos varios triángulos de tazas (tres tazas en cada uno) y en cada triángulo se colocan dos tazas iguales y una taza con café diferente. El primer paso es examinar y oler los granos de café molido. A continuación, con una cuchara se toman pequeños sorbos de café con una potente succión, para que el café ingerido pueda repartirse por todo el paladar.

Los catadores deben ser capaces de encontrar la taza distinta y apartarla del resto; para ello, hay que tener en cuenta tanto el aroma como el sabor propio de cada taza.

Lo idóneo para desarrollar esta prueba es adaptar las condiciones del entorno de la sala para que se realice de la manera más equilibrada posible. Lo ideal es hacerla en una habitación a oscuras, bajo luces rojas. La falta de luz hace que se elimine cualquier diferencia visual entre las distintas muestras de café, complicando aún más si cabe el reconocimiento de la taza discordante.

El grado de dificultad también dependerá de las muestras de cafés utilizadas, que pueden ser múltiples de un origen o lotes diferentes.

Durante el ejercicio, habrá indicios que indiquen cuál es la taza diferente; el aroma, el sabor, la acidez, el cuerpo o el retrogusto de cada taza nos ayudarán a identificar las diferencias.

EL **tostador**

Al otro lado de la cadena cafetera están los tostadores. Con su acción, tienen una labor fundamental para hacer emerger todos los aromas del café.

En los últimos años, hemos visto abrirse paso en nuestras ciudades a un creciente número de pequeños microtostadores. De nada sirve tener un café de una calidad excepcional si no se ha tostado adecuadamente. El tostador tiene también una gran responsabilidad en la cadena de valor de un café.

El tostador puede optimizar el sabor del café, ya que a través del tueste puede resaltar los aspectos que estime más convenientes.

La clave para desarrollar un buen perfil de tueste es tomar datos durante el ciclo de tostado y, sobre todo, catar el café resultante.

Un tueste correcto es aquel en el que la acidez, la densidad y el cuerpo se desarrollan adecuadamente, la amargura se reduce, se experimenta un crecimiento en el volumen del grano y la cantidad de partículas solubles aumenta.

Por el contrario, un tueste prolongado puede puede provocar reducción de ácidos, pérdida de densidad y cuerpo, presencia de amargura y que el volumen de grano desarrolle poco volumen.

Por todo ello, el tostador tiene que ir experimentando y probando diferentes perfiles para adecuarlos al tipo de grano, origen, etc.

el**BARISTA**

Se trata de un profesional especializado en el café de alta calidad que trabaja creando nuevas y diferentes bebidas basadas en él.

El buen barista debe saber distinguir los tipos de café; resaltar las características de un origen único; conocer todos los tipos de extracción y preparación posibles, y saber exprimir al máximo todo lo que el café nos puede mostrar. Es el embajador del café de calidad ante los consumidores.

Existe un interés creciente por el café y por todo lo que rodea a este producto. Por este motivo, se está produciendo una mayor profesionalización del sector. Era necesario que el papel del barista fuera ganando importancia, reconociéndose en el sector como el profesional formado especializado en café.

La formación continuada del barista es importante, porque el café es un producto vivo, en constante evolución. Nunca se ha aprendido lo suficiente, y no debemos conformarnos con lo que ya sabemos; hay que investigar, probar y no dejar de aprender.

SERRA DO BONE
BRASILIEN - MØRKRISTET

REGION: MATA DE MINAS
PROCES: PULPED NATURAL
HØJDE: 1.200

FINCA BOURBON
GUATEMALA - MELLEMRISTET

REGION: CHIMALTENANGO
PROCES: 100% WASHED AND DRIED
HØJDE: 1.500 - 2.425

SORT
KAFFE
MENU

e's
ESPRESSO BLEND

CONFIDENTIAL

KOLDBRYG

BRYGGET OVER 24 TIMER PÅ:

FINCA BOURBON
GUATEMALA

Competiciones de barista

A lo largo del año, se organizan diferentes campeonatos y pruebas que someten a examen las habilidades y destrezas de los baristas y otros profesionales del café. La calidad y la técnica empleada por los participantes mejora en cada convocatoria, debido a una mayor profesionalización y formación del sector.

Estas competiciones destacan por la dificultad de sus pruebas y el alto nivel de todos los participantes, que tratan de impresionar al jurado, compuesto por prestigiosos profesionales del café. La técnica y la pericia son fundamentales para conseguir una buena puntuación.

Las competiciones pueden ser de barista, *latte art*, *brew* y cata, y los aspirantes deben demostrar técnicas excelentes en la preparación del café. Se organizan campeonatos a nivel nacional, internacional y mundial.

Los tipos de tazas donde servir el café

La forma de la taza es muy importante a la hora de hacer un *expreso*. Lo ideal es que tenga una base en forma de curva, para que el café *corra* por el interior de la taza dando lugar a una crema homogénea. Lo ideal es servirlo en taza pequeña.

Es aconsejable que las tazas que se vayan a usar estén calientes, ya que si un *expreso* se vierte en una taza fría afectará al resultado final. Por esta razón, las tazas se suelen disponer encima de la cafetera, para que mantengan ese calor. Sin embargo, puede que baristas experimentados jueguen incluso con esta variable, pudiendo aportar texturas diferentes y potenciar ciertos atributos del café.

Una curiosidad sobre las tazas es que no hay que ponerlas boca abajo en la máquina, mejor boca arriba, porque en la parte superior de la máquina de *expreso* es donde mayor suciedad se acumula, y así, además, los bordes de la taza no quemarán.

La importancia del agua

Si preparamos un *expreso*, el 88 % de la bebida está compuesta por agua, y esto aumenta hasta el 98 % en el caso de un café de filtro, de ahí que podamos afirmar que el sabor del café depende directamente del agua que estamos utilizando.

Es de extrema importancia para un barista disponer de agua de calidad, que sea fresca, limpia, sin olores y sin sabores. En el caso de la máquina de *expreso*, si el agua es demasiado dura, tendremos una acumulación de cal; si es demasiado blanda, puede provocar un desgaste de las piezas de plástico y de la goma. En el caso del filtro, si el agua es demasiado dura, no se realizará una correcta extracción, ya que el agua está demasiado cargada de minerales y no permite absorber tantos sólidos como el café necesita. En el caso del agua blanda, es al revés, debido a la baja mineralización, el agua absorberá sólidos de más, pudiendo incluso absorber sabores de las fibras de los filtros utilizados.

En el caso de los cafés realizados por métodos de filtrado, la temperatura ideal del agua está entre 92 °C y 96 °C, siendo el agua mejor solvente cerca de la temperatura de ebullición. Las altas temperaturas pueden dar lugar a sabores no deseados y las temperaturas más bajas dan como resultado una extracción pobre del café. El tiempo de extracción o el tiempo en que el agua está en contacto con el café molido determina la cantidad de sólidos de café extraídos. Este es el componente principal que afecta al sabor.

No se debe utilizar nunca agua destilada, porque los minerales son necesarios para extraer todos los aspectos positivos del café; sin minerales, obtendremos sabores muy afilados y amargos.

Para preparar un buen café, la cantidad ideal de minerales disueltos sería entre 125 y 175 mg/l. Y aceptable sería por debajo de 300 mg/l.

Si queremos hacer un buen café en casa, podemos leer la etiqueta del agua embotellada y fijarnos en la mineralización del agua.

La importancia de la leche

Uno de los productos más utilizados para modificar el sabor del café es la leche. La leche es un producto nutritivo y complejo, que posee más de 100 sustancias que se encuentran ya sea en solución, suspensión o emulsión. Los componentes más importantes son la caseína (la principal proteína de la leche), la grasa, las vitaminas solubles y la lactosa (los azúcares naturales de la leche).

La proteína, la grasa y la lactosa son ingredientes principales presentes en la leche que nos permiten emulsionarla a la perfección. Tanto la leche semidesnatada como la desnatada son más difíciles de emulsionar que la entera; por lo tanto, no son aconsejables. La leche desnatada tiene menos grasa, da a la crema un aspecto más duro y seco, y es mucho más difícil hacer dibujos con ella.

> La leche entera es la opción ideal para tomar en las recetas de café, y todavía mejor si es fresca.

Cuando utilicemos leche en nuestras recetas de café, debemos asegurarnos de que la leche está en buen estado. Si lleva varios días abierta, es importante que comprobemos que no está caducada o cor-tada, ya que se trata de un producto altamente perecedero que debe mantenerse en frío, a 4 °C.

La leche no se debe calentar a una temperatura superior a 70 °C. Además, debemos revisar que el vaporizador de la máquina está limpio y sin restos de leche de emulsiones anteriores.

En general, las reglas básicas para preparar nuestras recetas con leche son usar siempre leche fría y no calentarla más de una vez. Nunca se debe llenar demasiado la jarra, para no desbordar cuando empecemos la emulsión, y tampoco llegar a hervir la leche, ya que no solo estropearía la crema y la lactosa, sino que también le quitaría el sabor dulce. El vaporizador debe mantenerse siempre limpio y purgado, y al calentar la jarra con el vaporizador debemos sostenerla siempre con la mano para controlar correctamente la temperatura.

Pasos para emulsionar la leche:

• Llenamos la jarra de leche justo por debajo de la mitad de la jarra.

• Introducimos la punta del vaporizador justo por debajo de la superficie de la leche.

• Inclinamos la jarra para crear una buena circulación y accionar el vapor.

• Bajamos milimétricamente la jarra para continuar introduciendo aire en pequeñas cantidades.

• Cuando la leche llegue a la temperatura de 40 °C, subimos la jarra para profundizar la vaporización a 1-5 cm debajo de la superficie y coger más aire.

• Mantenemos esta posición hasta llegar a los 55-60 °C. Así es como rompemos las burbujas medianas y calentamos la leche hasta la temperatura perfecta. Por inercia, la leche ganará 5 °C más.

El valor que le damos al café

Hoy en día, las cafeterías siguen siendo un fantástico lugar de reunión social, y el café se impone como la bebida por excelencia para disfrutar de este momento. Podemos afirmar que el hecho de tomarse un café es, sin duda, una buena excusa y un motivo de disfrute con amigos y seres queridos.

Afortunadamente, esta bebida se valora cada vez más en nuestra sociedad, otorgándole el lugar que se merece. Somos cada día más consciente y capaces de apreciar el largo camino que recorre el fruto desde la recolección hasta que nos sirven una taza de café.

Después de todo lo expuesto en este libro, también somos ahora capaces de reconocer las diferentes manos que intervienen en el largo proceso que experimenta el café y que van agregando valor al producto final. Debemos otorgar al café el valor que le corresponde. Las cafeterías deberían convertirse en lugares donde culmine el conocimiento adquirido de toda la cadena cafetera. Y, como consumidores, deberíamos ser plenamente conscientes de todo ello cuando demos un sorbo a nuestro siguiente café.

Agradecimientos

Con este libro, queremos manifestar nuestro agradecimiento a las personas que nos han acompañado a lo largo del tiempo, y aún nos acompañan, y que han marcado nuestra carrera en el mundo del café. A Jon Willesen, un genio del café, que nos abrió la puerta al mundo de los cafés especiales y nos inspiró para compartir conocimiento. A Luis Pascoal, de la Finca Daterra, por esa pasión en el cuidado del café que ha sabido transmitir cosecha tras cosecha. A Heleanna Georgalis, por ser un referente, por su gran labor profesional y social, y por acercarnos tanto a la cuna del café. A Valentina DallaCorte, que caminó junto a nosotros y tomó el relevo de nuestro paso en la coordinación de SCA España, y a Arnold Paz, por su gran sentido del humor y ser nuestro puente soñado a América Central.

También a la Specialty Coffee Association, por crear una comunidad que nos identifica y nos apasiona. A César Ros, por seguir empeñado en descubrirnos y enseñarnos nuevos caminos cafeteros. A Giesen Coffee Roasters, por permitirnos mimar el tostado hasta conseguir los mejores perfiles. A la familia Salaverria (Jasal), de El Salvador, que ya son la quinta generación cafetera defendiendo lo que amamos; con su ejemplo, nos indican el camino de la constancia como éxito. A Olvín Rodríguez, por mimar, literalmente, cada día sus plantas hasta conseguir emocionarnos. A Descamex, por su apoyo, trabajo y voluntad de preservar, casi hasta lo imposible, los descriptores del café en el proceso de descafeinado. A Café de Finca, cafetería pionera en España, por conseguir, ¡y ya van 10 años!, sacarnos una sonrisa café tras café. Y a todos los alumnos y alumnas que han pasado por nuestro Instituto y son ahora embajadores cualificados del café de calidad.

Y, finalmente, a nuestras familias y a nuestro equipo de Mare Terra Coffee, que también es nuestra familia, por su pasión e implicación. Y porque hay un poco de cada uno de ellos en este libro.

© del texto: Mare Terra Coffee Foundation.
Diseño y maquetación: La cuina gràfica
© de esta edición: RBA Libros S.A., 2019
Avda. Diagonal, 189 - 08018 Barcelona
rbalibros.com

Primera edición: marzo de 2019.

RBA Integral
Ref.: RPRA470
ISBN: 978-84-9118-166-8
Depósito legal: B-3.126-2019

Realización:

www.somnins.com

El papel utilizado para la impresión de este libro es cien por cien libre de cloro y está calificado como papel ecológico.

Impreso en España · *Printed in Spain*